LAÇOS DE FAMÍLIA

clarice

lispector

LAÇOS DE FAMÍLIA

POSFÁCIO DE
CLARISSE FUKELMAN

Rocco

Texto posfácio de Clarisse Fukelman

Direitos desta edição reservados à
EDITORA ROCCO LTDA.
Rua Evaristo da Veiga, 65 – 11º andar
Passeio Corporate – Torre 1
20031-040 – Rio de Janeiro, RJ
Tel.: (21) 3525-2000 – Fax: (21) 3525-2001
rocco@rocco.com.br | www.rocco.com.br

Printed in Brazil/Impresso no Brasil

Preparação de originais
Pedro Karp Vasquez

Projeto gráfico
Victor Burton e Anderson Junqueira

CIP-Brasil. Catalogação na publicação.
Sindicato Nacional dos Editores de Livros, RJ.

L753L Lispector, Clarice, 1920-1977
Laços de família / Clarice Lispector. – 1. ed.
– Rio de Janeiro: Rocco, 2020.

"Inclui posfácio"
ISBN 978-65-5532-024-4
ISBN 978-65-5595-002-1 (e-book)

1. Contos brasileiros. I. Título.

20-63803 CDD-869.3
CDU-82-34(81)

Meri Gleice Rodrigues de Souza – Bibliotecária CRB-7/6439

O texto deste livro obedece às normas
do Acordo Ortográfico da Língua Portuguesa.

Impressão e Acabamento Geográfica.

Devaneio e embriaguez duma rapariga
7

Amor
17

Uma galinha
28

A imitação da rosa
32

Feliz aniversário
51

A menor mulher do mundo
64

O jantar
72

Preciosidade
77

Os laços de família
89

Começos de uma fortuna
98

Mistério em São Cristóvão
106

O crime do professor de matemática
112

O búfalo
120

Posfácio
131

DEVANEIO E EMBRIAGUEZ DUMA RAPARIGA

Pelo quarto parecia-lhe estarem a se cruzar os elétricos, a estremecerem-lhe a imagem refletida. Estava a se pentear vagarosamente diante da penteadeira de três espelhos, os braços brancos e fortes arrepiavam-se à frescurazita da tarde. Os olhos não se abandonavam, os espelhos vibravam ora escuros, ora luminosos. Cá fora, duma janela mais alta, caiu à rua uma cousa pesada e fofa. Se os miúdos e o marido estivessem à casa, já lhe viria à ideia que seria descuido deles. Os olhos não se despregavam da imagem, o pente trabalhava meditativo, o roupão aberto deixava aparecerem nos espelhos os seios entrecortados de várias raparigas.

"A Noite!", gritou o jornaleiro ao vento brando da Rua do Riachuelo, e alguma cousa arrepiou-se pressagiada. Jogou o pente à penteadeira, cantou absorta: "quem viu o pardalzito... passou pela janela... voou pr'além do Minho!" – mas, colérica, fechou-se dura como um leque.

Deitou-se, abanava-se impaciente com um jornal a farfalhar no quarto. Pegou o lenço, aspirava-o a comprimir o bordado áspero com os dedos avermelhados. Punha-se de novo a abanar-se, quase a sorrir. Ai, ai, suspirou a rir. Teve a visão de seu sorriso claro de rapariga ainda nova, e sorriu mais fechando os olhos, a abanar-se mais profundamente. Ai, ai, vinha da rua como uma borboleta.

"Bons dias, sabes quem veio a me procurar cá à casa?", pensou como assunto possível e interessante de palestra. "Pois não sei, quem?", perguntaram-lhe com um sorriso galanteador, uns olhos tristes numa dessas caras pálidas que a uma pessoa fazem tanto mal. "A Maria Quitéria, homem!", respondeu garrida, de mão à ilharga. "E se mo permite, quem é esta rapariga?", insistiram galante, mas já agora sem fisionomia. "Tu!", cortou ela com leve rancor a palestra, que chatura.

Ai que quarto suculento! ela se abanava no Brasil. O sol preso pelas persianas tremia na parede como uma guitarra. A Rua do Riachuelo sacudia-se ao peso arquejante dos elétricos que vinham da Rua Mem de Sá. Ela ouvia curiosa e entediada o estremecimento do guarda-loiça na sala das visitas. D'impaciência, virou-se-lhe o corpo de bruços, e enquanto estava a esticar com amor os dedos dos pés pequeninos, aguardava seu próximo pensamento com os olhos abertos. "Quem encontrou, buscou", disse-se em forma de rifão rimado, o que sempre terminava por parecer com alguma verdade. Até que adormeceu com a boca aberta, a baba a umedecer-lhe o travesseiro.

Só acordou com o marido a voltar do trabalho e a entrar pelo quarto adentro. Não quis jantar nem sair de seus cuidados, dormiu de novo: o homem lá que se regalasse com as sobras do almoço.

E, já que os filhos estavam na quinta das titias em Jacarepaguá, ela aproveitou para amanhecer esquisita: túrbida e leve na cama, um desses caprichos, sabe-se lá. O marido apareceu-lhe já trajado e ela nem sabia o que o homem fizera para o seu pequeno almoço, e nem olhou-lhe o fato, se estava ou não por escovar, pouco se lhe importava se hoje era dia dele tratar os negócios na cidade. Mas quando ele se inclinou para beijá-la, sua leveza crepitou como folha seca:

– Larga-te daí!

– E o que tens? pergunta-lhe o homem atônito, a ensaiar imediatamente carinho mais eficaz.

Obstinada, ela não saberia responder, estava tão rasa e princesa que não tinha sequer onde se lhe buscar uma resposta. Zangou-se:

– Ai que não me maces! não me venhas a rondar como um galo velho!

Ele pareceu pensar melhor e declarou:

– Ó rapariga, estás doente.

Ela aceitou surpreendida, lisonjeada. Durante o dia inteiro ficou-se na cama, a ouvir a casa tão silenciosa sem o bulício dos miúdos, sem o homem que hoje comeria seus cozidos pela cidade. Durante o dia inteiro ficou-se à cama. Sua cólera era tênue, ardente. Só se levantava mesmo para ir à casa de banhos, donde voltava nobre, ofendida.

A manhã tornou-se uma longa tarde inflada que se tornou noite sem fundo amanhecendo inocente pela casa toda.

Ela ainda à cama, tranquila, improvisada. Ela amava... Estava previamente a amar o homem que um dia ela ia amar. Quem sabe lá, isso às vezes acontecia, e sem culpas nem danos para nenhum dos dois. Na cama a pensar, a pensar, quase a rir como a uma bisbilhotice. A pensar, a pensar. O quê? ora, lá ela sabia. Assim deixou-se a ficar.

Dum momento para outro, com raiva, estava de pé. Mas nas fraquezas do primeiro instante parecia doida e delicada no quarto que rodava, que rodava até ela conseguir às apalpadelas deitar-se de novo à cama, surpreendida de que talvez fosse verdade: "ó mulher, vê lá se me vais mesmo adoecer!", disse desconfiada. Levou a mão à testa para ver se lhe tinham vindo febres.

Nessa noite, até dormir, fantasticou, fantasticou: por quantos minutos? até que tombou: adormecidona, a ressonar com o marido.

Acordou com o dia atrasado, as batatas por descascar, os miúdos que voltariam à tarde das titias, ai que até me faltei ao respeito!, dia de lavar roupa e cerzir as peúgas, ai que vagabunda que me saíste!, censurou-se curiosa e satisfeita, ir às compras, não esquecer o peixe, o dia atrasado, a manhã pressurosa de sol.

Mas no sábado à noite foram à tasca da Praça Tiradentes a atenderem ao convite do negociante tão próspero, ela com vestidito novo que se não era cheio d'enfeites era de bom pano superior, desses que lhe iam a durar pela vida afora. No sábado à noite, embriagada na Praça Tiradentes, embriagada mas com o marido ao lado a garanti-la, e ela cerimoniosa diante do outro homem tão mais fino e rico, procurando dar-lhe palestras, pois que ela não era nenhuma parola d'aldeia e já vivera em Capital. Mas borrachona a mais não poder.

E se seu marido não estava borracho é que não queria faltar ao respeito ao negociante, e, cheio d'empenho e d'humildade, deixava-lhe, ao outro, o cantar de galo. O que assentava bem para a ocasião fina, mas lhe punha, a ela, uma dessas vontades de rir! um desses desprezos! olhava o marido metido no fato novo e achava-lhe uma tal piada! Borrachona a mais não poder mas sem perder o brio de rapariga. E o vinho verde a esvaziar-se-lhe do copo.

E quando estava embriagada, como num ajantarado farto de domingo, tudo o que pela própria natureza é separado um do outro – cheiro d'azeite dum lado, homem doutro, terrina dum lado, criado de mesa doutro – unia-se esquisitamente pela própria natureza, e tudo não passava duma sem-vergonhice só, duma só marotagem.

E se lhe estavam brilhantes e duros os olhos, se seus gestos eram etapas difíceis até conseguir enfim atingir o paliteiro, em verdade por dentro estava-se até lá muito bem, era-se aquela nuvem plena a se transladar sem esforço. Os lábios engrossados e os dentes brancos, e o vinho a inchá-la. E aquela vaidade de estar embriagada a facilitar-lhe um tal desdenho por tudo, a torná-la madura e redonda como uma grande vaca.

Naturalmente que ela palestrava. Pois que lhe não faltavam os assuntos nem as capacidades. Mas as palavras que uma pessoa pronunciava quando estava embriagada era como se estivesse prenhe – palavras apenas na boca, que pouco tinham a ver com o centro secreto que era como uma gravidez. Ai que esquisita estava. No sábado à noite a alma diária perdida, e que bom perdê-la, e como lembrança dos outros dias apenas as mãos pequenas tão maltratadas – e ela agora com os cotovelos sobre a toalha de xadrez vermelha e branca da mesa como sobre uma mesa de jogo, profundamente lançada numa vida baixa e revolucionante. E esta gargalhada? essa gargalhada que lhe estava a sair misteriosamente duma garganta cheia e branca, em resposta à finura do negociante, gargalhada vinda da profundeza daquele sono, e da profundeza daquela segurança de quem tem um corpo. Sua carne alva estava doce como a de uma lagosta, as pernas duma lagosta viva a se mexer devagar no ar. E aquela vontade de se sentir mal para aprofundar a doçura em bem ruim. E aquela maldadezita de quem tem um corpo.

Palestrava, e ouvia com curiosidade o que ela mesma estava a responder ao negociante abastado que, em tão boa hora, os convidara e pagava-lhes o pasto. Ouvia intrigada e deslumbrada o que ela mesma estava a responder: o que dissesse nesse estado valeria para o futuro em augúrio – já agora ela não era lagosta, era um duro signo: escorpião. Pois que nascera em novembro.

Um holofote enquanto se dorme que percorre a madrugada – tal era a sua embriaguez errando lenta pelas alturas.

Ao mesmo tempo, que sensibilidade! mas que sensibilidade! quando olhava o quadro tão bem pintado do restaurante ficava logo com sensibilidade artística. Ninguém lhe tiraria cá das ideias que nascera mesmo para outras cousas. Ela sempre fora pelas obras d'arte.

Mas que sensibilidade! agora não apenas por causa do quadro de uvas e peras e peixe morto brilhando nas escamas. Sua sensibilidade incomodava sem ser dolorosa, como uma unha quebrada. E se quisesse podia permitir-se o luxo de se tornar ainda mais sensível, ainda podia ir mais adiante: porque era protegida por uma situação, protegida como toda a gente que atingiu uma posição na vida. Como uma pessoa a quem lhe impedem de ter a sua desgraça. Ai que infeliz que sou, minha mãe. Se quisesse podia deitar ainda mais vinho no copo e, protegida pela posição que alcançara na vida, emborrachar-se ainda mais, contanto que não perdesse o brio. E assim, mais emborrachada ainda, percorria os olhos pelo restaurante, e que desprezo pelas pessoas secas do restaurante, nenhum homem que fosse homem a valer, que fosse triste mesmo. Que desprezo pelas pessoas secas do restaurante, enquanto ela estava grossa e pesada, generosa a mais não poder. E tudo no restaurante tão distante um do outro como se jamais um pudesse falar com o outro. Cada um por si, e lá Deus por toda a gente.

Seus olhos de novo fitaram aquela rapariga que, já d'entrada, lhe fizera subir a mostarda ao nariz. Logo d'entrada percebera-a sentada a uma mesa com seu homem, toda cheia dos chapéus e d'ornatos, loira como um escudo falso, toda santarrona e fina – que rico chapéu que tinha! – vai ver que nem casada era, e a ostentar aquele ar de santa. E com seu rico chapéu bem posto. Pois que bem lhe aproveitasse a beatice! e que se não lhe entornasse a fidalguia na sopa! As mais santazitas eram as que mais cheias estavam de patifaria. E o criado de mesa, o grande parvo, a servi-la cheio das atenções, o finório: e o homem amarelo que a acompanhava a fazer vistas grossas. E a santarrona toda vaidosa de seu chapéu, toda modesta de sua cinturita fina, vai ver que não era capaz de parir-lhe, ao seu homem, um filho. Ai que não tinha nada a ver com isso, a bem dizer: mas já d'entrada crescera-lhe a vontade d'ir e d'encher-lhe, à cara de santa loira da rapariga, uns bons sopapos, a fidalguita de chapéu. Que nem roliça era, era chata de peito. E vai ver que, com todos os seus chapéus, não passava duma vendeira d'hortaliça a se fazer passar por grande dama.

Oh, como estava humilhada por ter vindo à tasca sem chapéu, a cabeça agora parecia-lhe nua. E a outra com seus ares de senhora, a fingir de delicada. Bem sei o que te falta, fidalguita, e ao teu homem amarelo! E se pensas que t'invejo e ao teu peito chato, fica a saber que me ralo, que bem me ralo de teus chapéus. A patifas sem brio como tu, a se fazerem de rogadas, eu lhas encho de sopapos.

Na sua sagrada cólera, estendeu com dificuldade a mão e tomou um palito.

Mas finalmente a dificuldade de chegar em casa desapareceu: remexia-se agora dentro da realidade familiar de seu quarto, agora sentada no bordo de sua cama com a chinela a se balançar no pé.

E, como entrefechara os olhos toldados, tudo ficou de carne, o pé da cama de carne, a janela de carne, na cadeira o fato de carne que o marido jogara, e tudo quase doía. E ela cada vez maior, vacilante, túmida, gigantesca. Se conseguisse chegar mais perto de si mesma, ver-se-ia inda maior. Cada braço seu poderia ser percorrido por uma pessoa, na ignorância de que se tratava de um braço, e em cada olho podia-se-lhe mergulhar dentro e nadar sem saber que era um olho. E ao redor tudo a doer um pouco. As coisas feitas de carne com nevralgia. Fora o friozito que a tomara ao sair da casa de pasto.

Estava sentada à cama, conformada, cética.

E isso ainda não era nada, só Deus sabia: ela sabia muito bem que isso inda não era nada. Que nesse momento lhe estavam a acontecer cousas que só mais tarde iriam a doer mesmo e a valer: quando ela voltasse ao seu tamanho comum, o corpo anestesiado estaria a acordar latejando e ela iria a pagar pelas comilanças e vinhos.

Então, já que isso terminaria mesmo por acontecer, tanto se me faz abrir agora mesmo os olhos, o que fez, e tudo ficou menor e mais nítido, embora sem nenhuma dor. Tudo, no fundo, estava igual, só que menor e familiar. Estava sentada bem tesa na sua cama, o estômago tão cheio, absorta, resignada, com a delicadeza de quem espera sentado que outro acorde. "Empanturras-te e eu que pague o pato", disse-se melancólica, a olhar os deditos brancos do pé. Olhava ao redor, paciente, obediente. Ai, palavras, palavras, objetos do quarto alinhados em ordem de palavras, a formarem aquelas frases turvas e maçantes que quem souber ler, lerá. Aborrecimento, aborrecimento, ai que chatura. Que maçada. Enfim, ai de mim, seja lá o que Deus bem quiser. Que é que se havia de fazer. Ai, é uma tal cousa que se me dá que nem bem sei dizer. Enfim, seja lá bem o que Deus quiser. E dizer que se divertira tanto esta noite! e dizer que fora tão bom, e a gosto seu o restaurante, ela sentada fina à mesa. Mesa! gritou-lhe o mundo. Mas ela nem sequer a responder-lhe, a alçar os ombros com um muxoxo amuado, importunada, que não me venhas a maçar com carinhos; desiludida, resignada, empanturrada, casada, contente, a vaga náusea.

Foi nesse instante que ficou surda: faltou-lhe um sentido. Enviou à orelha uma tapona de mão espalmada, o que só fez entornar mais o caldo: pois encheu-se-lhe o ouvido de um rumor de elevador, a vida de repente sonora e aumentada nos menores movimentos. Das duas, uma: estava surda ou a ouvir demais – reagiu a essa nova solicitação com uma sensação maliciosa e incômoda, com um suspiro de saciedade conformada. Pros raios que os partam, disse suave, aniquilada.

"E quando no restaurante...", lembrou-se de repente. Quando estivera no restaurante o protetor do marido encostara ao seu pé um pé embaixo da mesa, e por cima da mesa a cara dele. Porque calhara ou de propósito? O mafarrico. Uma pessoa, a falar verdade, que era lá bem interessante. Alçou os ombros.

E quando no seu decote redondo – em plena Praça Tiradentes!, pensou ela a abanar a cabeça incrédula – a mosca se lhe pousara na pele nua? Ai que malícia.

Havia certas cousas boas porque eram quase nauseantes: o ruído como de elevador no sangue, enquanto o homem roncava ao lado, os filhos gorditos empilhados no outro quarto a dormirem, os desgraçadinhos. Ai que cousa que se me dá! pensou desesperada. Teria comido demais? ai que cousa que se me dá, minha santa mãe!

Era a tristeza.

Os dedos do pé a brincarem com a chinela. O chão lá não muito limpo. Que relaxada e preguiçosa que me saíste. Amanhã não, porque não estaria lá muito bem das pernas. Mas depois de amanhã aquela sua casa havia de ver: dar-lhe-ia um esfregaço com água e sabão que se lhe arrancariam as sujidades todas! a casa havia de ver! ameaçou ela colérica. Ai que se sentia tão bem, tão áspera, como se ainda estivesse a ter leite nas mamas, tão forte. Quando o amigo do marido a viu tão bonita e gorda ficou logo com respeito por ela.

E quando ela ficava a se envergonhar não sabia aonde havia de fitar os olhos. Ai que tristeza. Que é que se há de fazer. Sentada no bordo da cama, a pestanejar resignada. Que bem que se via a lua nessas noites de verão. Inclinou-se um pouquito, desinteressada, resignada. A lua. Que bem que se via. A lua alta e amarela a deslizar pelo céu, a coitadita. A deslizar, a deslizar... Alta, alta. A lua. Então a grosseria explodiu-lhe em súbito amor: cadela, disse a rir.

AMOR

Um pouco cansada, com as compras deformando o novo saco de tricô, Ana subiu no bonde. Depositou o volume no colo e o bonde começou a andar. Recostou-se então no banco procurando conforto, num suspiro de meia satisfação.

Os filhos de Ana eram bons, uma coisa verdadeira e sumarenta. Cresciam, tomavam banho, exigiam para si, malcriados, instantes cada vez mais completos. A cozinha era enfim espaçosa, o fogão enguiçado dava estouros. O calor era forte no apartamento que estavam aos poucos pagando. Mas o vento batendo nas cortinas que ela mesma cortara lembrava-lhe que se quisesse podia parar e enxugar a testa, olhando o calmo horizonte. Como um lavrador. Ela plantara as sementes que tinha na mão, não outras, mas essas apenas. E cresciam árvores. Crescia sua rápida conversa com o cobrador de luz, crescia a água enchendo o tanque, cresciam seus filhos, crescia a mesa com comidas, o marido chegando com os jornais e sorrindo de fome, o canto importuno das empregadas do edifício. Ana dava a tudo, tranquilamente, sua mão pequena e forte, sua corrente de vida.

Certa hora da tarde era mais perigosa. Certa hora da tarde as árvores que plantara riam dela. Quando nada mais precisava de sua força, inquietava-se. No entanto sentia-se mais sólida do que nunca, seu corpo engrossara um pouco e era de se ver o modo como cortava blusas para os meninos, a grande tesoura dando estalidos na fazenda. Todo o seu desejo vagamente artístico encaminhara-se há muito no sentido de tornar os dias realizados e belos; com o tempo seu gosto pelo decorativo se desenvolvera e suplantara a íntima desordem. Parecia ter descoberto que tudo era passível de aperfeiçoamento, a cada coisa se emprestaria uma aparência harmoniosa; a vida podia ser feita pela mão do homem.

No fundo, Ana sempre tivera necessidade de sentir a raiz firme das coisas. E isso um lar perplexamente lhe dera. Por caminhos tortos, viera a cair num destino de mulher, com a surpresa de nele caber como se o tivesse inventado. O homem com quem casara era um homem verdadeiro, os filhos que tivera eram filhos verdadeiros. Sua juventude anterior parecia-lhe estranha como uma doença de vida. Dela havia aos poucos emergido para descobrir que também sem a felicidade se vivia: abolindo-a, encontrara uma legião de pessoas, antes invisíveis, que viviam como quem trabalha – com persistência, continuidade, alegria. O que sucedera a Ana antes de ter o lar estava para sempre fora de seu alcance: uma exaltação perturbada que tantas vezes se confundira com felicidade insuportável. Criara em troca algo enfim compreensível, uma vida de adulto. Assim ela o quisera e escolhera.

Sua precaução reduzia-se a tomar cuidado na hora perigosa da tarde, quando a casa estava vazia sem precisar mais dela, o sol alto, cada membro da família distribuído nas suas funções. Olhando os móveis limpos, seu coração se apertava um pouco em espanto. Mas na sua vida não havia lugar para que sentisse ternura pelo seu espanto – ela o abafava com a mesma habilidade que as lides em casa lhe haviam transmitido. Saía então para fazer compras ou levar objetos para consertar, cuidando do lar e da família à revelia deles. Quando voltasse era o fim da tarde e as crianças vindas do colégio exigiam-na. Assim chegaria a noite, com sua tranquila vibração. De manhã acordaria aureolada pelos calmos deveres. Encontrava os móveis de novo empoeirados e sujos, como se voltassem arrependidos. Quanto a ela mesma, fazia obscuramente parte das raízes negras e suaves do mundo. E alimentava anonimamente a vida. Estava bom assim. Assim ela o quisera e escolhera.

O bonde vacilava nos trilhos, entrava em ruas largas. Logo um vento mais úmido soprava anunciando, mais que o fim da tarde, o fim da hora instável. Ana respirou profundamente e uma grande aceitação deu a seu rosto um ar de mulher.

O bonde se arrastava, em seguida estacava. Até Humaitá tinha tempo de descansar. Foi então que olhou para o homem parado no ponto.

A diferença entre ele e os outros é que ele estava realmente parado. De pé, suas mãos se mantinham avançadas. Era um cego.

O que havia mais que fizesse Ana se aprumar em desconfiança? Alguma coisa intranquila estava sucedendo. Então ela viu: o cego mascava chicles... Um homem cego mascava chicles.

Ana ainda teve tempo de pensar por um segundo que os irmãos viriam jantar – o coração batia-lhe violento, espaçado. Inclinada, olhava o cego profundamente, como se olha o que não nos vê. Ele mastigava goma na escuridão. Sem sofrimento, com os olhos abertos. O movimento da mastigação fazia-o parecer sorrir e de repente deixar de sorrir, sorrir e deixar de sorrir – como se ele a tivesse insultado, Ana olhava-o. E quem a visse teria a impressão de uma mulher com ódio. Mas continuava a olhá-lo, cada vez mais inclinada – o bonde deu uma arrancada súbita jogando-a desprevenida para trás, o pesado saco de tricô despencou-se do colo, ruiu no chão – Ana deu um grito, o condutor deu ordem de parada antes de saber do que se tratava – o bonde estacou, os passageiros olharam assustados.

Incapaz de se mover para apanhar suas compras, Ana se aprumava pálida. Uma expressão de rosto, há muito não usada, ressurgira-lhe com dificuldade, ainda incerta, incompreensível. O moleque dos jornais ria entregando-lhe o volume. Mas os ovos se haviam quebrado no embrulho de jornal. Gemas amarelas e viscosas pingavam entre os fios da rede. O cego interrompera a mastigação e avançava as mãos inseguras, tentando inutilmente pegar o que acontecia. O embrulho dos ovos foi jogado fora da rede e, entre os sorrisos dos passageiros e o sinal do condutor, o bonde deu a nova arrancada de partida.

Poucos instantes depois já não a olhavam mais. O bonde se sacudia nos trilhos e o cego mascando goma ficara atrás para sempre. Mas o mal estava feito.

A rede de tricô era áspera entre os dedos, não íntima como quando a tricotara. A rede perdera o sentido e estar num bonde era um fio partido; não sabia o que fazer com as compras no colo. E como uma estranha música, o mundo recomeçava ao redor. O mal estava feito. Por quê? teria esquecido de que havia cegos? A piedade a sufocava, Ana respirava pesadamente. Mesmo as coisas que existiam antes do acontecimento estavam agora de sobreaviso, tinham um ar mais hostil, perecível... O mundo se tornara de novo um mal-estar. Vários anos ruíam, as gemas amarelas escorriam. Expulsa de seus próprios dias, parecia-lhe que as pessoas na rua eram periclitantes, que se mantinham por um mínimo equilíbrio à tona da escuridão – e por um momento a falta de sentido deixava-as tão livres que elas não sabiam para onde ir. Perceber uma ausência de lei foi tão súbito que Ana se agarrou ao banco da frente, como se pudesse cair do bonde, como se as coisas pudessem ser revertidas com a mesma calma com que não o eram.

O que chamava de crise viera afinal. E sua marca era o prazer intenso com que olhava agora as coisas, sofrendo espantada. O calor se tornara mais abafado, tudo tinha ganho uma força e vozes mais altas. Na Rua Voluntários da Pátria parecia prestes a rebentar uma revolução, as grades dos esgotos estavam secas, o ar empoeirado. Um cego mascando chicles mergulhara o mundo em escura sofreguidão. Em cada pessoa forte havia a ausência de piedade pelo cego e as pessoas assustavam-na com o vigor que possuíam. Junto dela havia uma senhora de azul, com um rosto. Desviou o olhar, depressa. Na calçada, uma mulher deu um empurrão no filho! Dois namorados entrelaçavam os dedos sorrindo... E o cego? Ana caíra numa bondade extremamente dolorosa.

Ela apaziguara tão bem a vida, cuidara tanto para que esta não explodisse. Mantinha tudo em serena compreensão, separava uma pessoa das outras, as roupas eram claramente feitas para serem usadas e podia-se escolher pelo jornal o filme da noite – tudo feito de modo a que um dia se seguisse ao outro. E um cego mascando goma despedaçava tudo isso. E através da piedade aparecia a Ana uma vida cheia de náusea doce, até a boca.

Só então percebeu que há muito passara do seu ponto de descida. Na fraqueza em que estava tudo a atingia com um susto; desceu do bonde com pernas débeis, olhou em torno de si, segurando a rede suja de ovo. Por um momento não conseguia orientar-se. Parecia ter saltado no meio da noite.

Era uma rua comprida, com muros altos, amarelos. Seu coração batia de medo, ela procurava inutilmente reconhecer os arredores, enquanto a vida que descobrira continuava a pulsar e um vento mais morno e mais misterioso rodeava-lhe o rosto. Ficou parada olhando o muro. Enfim pôde localizar-se. Andando um pouco mais ao longo de uma sebe, atravessou os portões do Jardim Botânico.

Andava pesadamente pela alameda central, entre os coqueiros. Não havia ninguém no Jardim. Depositou os embrulhos na terra, sentou-se no banco de um atalho e ali ficou muito tempo.

A vastidão parecia acalmá-la, o silêncio regulava sua respiração. Ela adormecia dentro de si.

De longe via a aleia onde a tarde era clara e redonda. Mas a penumbra dos ramos cobria o atalho.

Ao seu redor havia ruídos serenos, cheiro de árvores, pequenas surpresas entre os cipós. Todo o Jardim triturado pelos instantes já mais apressados da tarde. De onde vinha o meio sonho pelo qual estava rodeada? Como por um zunido de abelhas e aves. Tudo era estranho, suave demais, grande demais.

Um movimento leve e íntimo a sobressaltou – voltou-se rápida. Nada parecia se ter movido. Mas na aleia central estava imóvel um poderoso gato. Seus pelos eram macios. Em novo andar silencioso, desapareceu.

Inquieta, olhou em torno. Os ramos se balançavam, as sombras vacilavam no chão. Um pardal ciscava na terra. E de repente, com mal-estar, pareceu-lhe ter caído numa emboscada. Fazia-se no Jardim um trabalho secreto do qual ela começava a se aperceber.

Nas árvores as frutas eram pretas, doces como mel. Havia no chão caroços secos cheios de circunvoluções, como pequenos cérebros apodrecidos. O banco estava manchado de sucos roxos. Com suavidade intensa rumorejavam as águas. No tronco da árvore pregavam-se as luxuosas patas de uma aranha. A crueza do mundo era tranquila. O assassinato era profundo. E a morte não era o que pensávamos.

Ao mesmo tempo que imaginário – era um mundo de se comer com os dentes, um mundo de volumosas dálias e tulipas. Os troncos eram percorridos por parasitas folhudos, o abraço era macio, colado. Como a repulsa que precedesse uma entrega – era fascinante, a mulher tinha nojo, e era fascinante.

As árvores estavam carregadas, o mundo era tão rico que apodrecia. Quando Ana pensou que havia crianças e homens grandes com fome, a náusea subiu-lhe à garganta, como se ela estivesse grávida e abandonada. A moral do Jardim era outra. Agora que o cego a guiara até ele, estremecia nos primeiros passos de um mundo faiscante, sombrio, onde vitórias-régias boiavam monstruosas. As pequenas flores espalhadas na relva não lhe pareciam amarelas ou rosadas, mas cor de mau ouro e escarlates. A decomposição era profunda, perfumada... Mas todas as pesadas coisas, ela via com a cabeça rodeada por um enxame de insetos, enviados pela vida mais fina do mundo. A brisa se insinuava entre as flores. Ana mais adivinhava que sentia o seu cheiro adocicado... O Jardim era tão bonito que ela teve medo do Inferno.

Era quase noite agora e tudo parecia cheio, pesado, um esquilo voou na sombra. Sob os pés a terra estava fofa, Ana aspirava-a com delícia. Era fascinante, e ela sentia nojo.

Mas quando se lembrou das crianças, diante das quais se tornara culpada, ergueu-se com uma exclamação de dor. Agarrou o embrulho, avançou pelo atalho obscuro, atingiu a alameda. Quase corria – e via o Jardim em torno de si, com sua impersonalidade soberba. Sacudiu os portões fechados, sacudia-os segurando a madeira áspera. O vigia apareceu espantado de não a ter visto.

Enquanto não chegou à porta do edifício, parecia à beira de um desastre. Correu com a rede até o elevador, sua alma batia-lhe no peito – o que sucedia? A piedade pelo cego era tão violenta como uma ânsia, mas o mundo lhe parecia seu, sujo, perecível, seu. Abriu a porta de casa. A sala era grande, quadrada, as maçanetas brilhavam limpas, os vidros da janela brilhavam, a lâmpada brilhava – que nova terra era essa? E por um instante a vida sadia que levara até agora pareceu-lhe um modo moralmente louco de viver. O menino que se aproximou correndo era um ser de pernas compridas e rosto igual ao seu, que corria e a abraçava. Apertou-o com força, com espanto. Protegia-se trêmula. Porque a vida era periclitante. Ela amava o mundo, amava o que fora criado – amava com nojo. Do mesmo modo como sempre fora fascinada pelas ostras, com aquele vago sentimento de asco que a aproximação da verdade lhe provocava, avisando-a. Abraçou o filho, quase a ponto de machucá-lo. Como se soubesse de um mal – o cego ou o belo Jardim Botânico? – agarrava-se a ele, a quem queria acima de tudo. Fora atingida pelo demônio da fé. A vida é horrível, disse-lhe baixo, faminta. O que faria se seguisse o chamado do cego? Iria sozinha... Havia lugares pobres e ricos que precisavam dela. Ela precisava deles... Tenho medo, disse. Sentia as costelas delicadas da criança entre os braços, ouviu o seu choro assustado. Mamãe, chamou o menino. Afastou-o, olhou aquele rosto, seu coração crispou-se. Não deixe mamãe te esquecer, disse-lhe. A criança mal sentiu o abraço se afrouxar, escapou e correu até a porta do quarto, de onde olhou-a mais segura. Era o pior olhar que jamais recebera. O sangue subiu-lhe ao rosto, esquentando-o.

Deixou-se cair numa cadeira, com os dedos ainda presos na rede. De que tinha vergonha?

Não havia como fugir. Os dias que ela forjara haviam-se rompido na crosta e a água escapava. Estava diante da ostra.

E não havia como não olhá-la. De que tinha vergonha? É que já não era mais piedade, não era só piedade: seu coração se enchera com a pior vontade de viver.

Já não sabia se estava do lado do cego ou das espessas plantas. O homem pouco a pouco se distanciara e em tortura ela parecia ter passado para o lado dos que lhe haviam ferido os olhos. O Jardim Botânico, tranquilo e alto, lhe revelava. Com horror descobria que pertencia à parte forte do mundo – e que nome se deveria dar à sua misericórdia violenta? Seria obrigada a beijar o leproso, pois nunca seria apenas sua irmã. Um cego me levou ao pior de mim mesma, pensou espantada. Sentia-se banida porque nenhum pobre beberia água nas suas mãos ardentes. Ah! era mais fácil ser um santo que uma pessoa! Por Deus, pois não fora verdadeira a piedade que sondara no seu coração as águas mais profundas? Mas era uma piedade de leão.

Humilhada, sabia que o cego preferiria um amor mais pobre. E, estremecendo, também sabia por quê. A vida do Jardim Botânico chamava-a como um lobisomem é chamado pelo luar. Oh! mas ela amava o cego! pensou com os olhos molhados. No entanto não era com este sentimento que se iria a uma igreja. Estou com medo, disse sozinha na sala. Levantou-se e foi para a cozinha ajudar a empregada a preparar o jantar.

Mas a vida arrepiava-a, como um frio. Ouvia o sino da escola, longe e constante. O pequeno horror da poeira ligando em fios a parte inferior do fogão, onde descobriu a pequena aranha. Carregando a jarra para mudar a água – havia o horror da flor se entregando lânguida e asquerosa às suas mãos. O mesmo trabalho secreto se fazia ali na cozinha. Perto da lata de lixo, esmagou com o pé a formiga. O pequeno assassinato da formiga. O mínimo corpo tremia. As gotas d'água caíam na água parada do tanque. Os besouros de verão. O horror dos besouros inexpressivos. Ao redor havia uma vida silenciosa, lenta, insistente. Horror, horror. Andava de um lado para outro na cozinha, cortando os bifes, mexendo o creme. Em torno da cabeça, em ronda, em torno da luz, os mosquitos de uma noite cálida. Uma noite em que a piedade era tão crua como o amor ruim. Entre os dois seios escorria o suor. A fé a quebrantava, o calor do forno ardia nos seus olhos.

Depois o marido veio, vieram os irmãos e suas mulheres, vieram os filhos dos irmãos.

Jantaram com as janelas todas abertas, no nono andar. Um avião estremecia, ameaçando no calor do céu. Apesar de ter usado poucos ovos, o jantar estava bom. Também suas crianças ficaram acordadas, brincando no tapete com as outras. Era verão, seria inútil obrigá-las a dormir. Ana estava um pouco pálida e ria suavemente com os outros.

Depois do jantar, enfim, a primeira brisa mais fresca entrou pelas janelas. Eles rodeavam a mesa, a família. Cansados do dia, felizes em não discordar, tão dispostos a não ver defeitos. Riam-se de tudo, com o coração bom e humano. As crianças cresciam admiravelmente em torno deles. E como a uma borboleta, Ana prendeu o instante entre os dedos antes que ele nunca mais fosse seu.

Depois, quando todos foram embora e as crianças já estavam deitadas, ela era uma mulher bruta que olhava pela janela. A cidade estava adormecida e quente. O que o cego desencadeara caberia nos seus dias? Quantos anos levaria até envelhecer de novo? Qualquer movimento seu e pisaria numa das crianças. Mas com uma maldade de amante, parecia aceitar que da flor saísse o mosquito, que as vitórias-régias boiassem no escuro do lago. O cego pendia entre os frutos do Jardim Botânico.

Se fora um estouro do fogão, o fogo já teria pegado em toda a casa! pensou correndo para a cozinha e deparando com seu marido diante do café derramado.

– O que foi?! gritou vibrando toda.

Ele se assustou com o medo da mulher. E de repente riu entendendo:

– Não foi nada, disse, sou um desajeitado. – Ele parecia cansado, com olheiras.

Mas diante do estranho rosto de Ana, espiou-a com maior atenção. Depois atraiu-a a si, em rápido afago.

– Não quero que lhe aconteça nada, nunca! disse ela.

– Deixe que pelo menos me aconteça o fogão dar um estouro, respondeu ele sorrindo.

Ela continuou sem força nos seus braços. Hoje de tarde alguma coisa tranquila se rebentara, e na casa toda havia um tom humorístico, triste. É hora de dormir, disse ele, é tarde. Num gesto que não era seu, mas que pareceu natural, segurou a mão da mulher, levando-a consigo sem olhar para trás, afastando-a do perigo de viver.

Acabara-se a vertigem de bondade.

E, se atravessara o amor e o seu inferno, penteava-se agora diante do espelho, por um instante sem nenhum mundo no coração. Antes de se deitar, como se apagasse uma vela, soprou a pequena flama do dia.

UMA GALINHA

Era uma galinha de domingo. Ainda viva porque não passava de nove horas da manhã.

Parecia calma. Desde sábado encolhera-se num canto da cozinha. Não olhava para ninguém, ninguém olhava para ela. Mesmo quando a escolheram, apalpando sua intimidade com indiferença, não souberam dizer se era gorda ou magra. Nunca se adivinharia nela um anseio.

Foi pois uma surpresa quando a viram abrir as asas de curto voo, inchar o peito e, em dois ou três lances, alcançar a murada do terraço. Um instante ainda vacilou – o tempo da cozinheira dar um grito – e em breve estava no terraço do vizinho, de onde, em outro voo desajeitado, alcançou um telhado. Lá ficou em adorno deslocado, hesitando ora num, ora noutro pé. A família foi chamada com urgência e consternada viu o almoço junto de uma chaminé. O dono da casa, lembrando-se da dupla necessidade de fazer esporadicamente algum esporte e de almoçar, vestiu radiante um calção de banho e resolveu seguir o itinerário da galinha: em pulos cautelosos alcançou o telhado onde esta, hesitante e trêmula, escolhia com urgência outro rumo. A perseguição tornou-se mais intensa. De telhado a telhado foi percorrido mais de um quarteirão da rua. Pouco afeita a uma luta mais selvagem pela vida, a galinha tinha que decidir por si mesma os caminhos a tomar, sem nenhum auxílio de sua raça. O rapaz, porém, era um caçador adormecido. E por mais ínfima que fosse a presa o grito de conquista havia soado.

Sozinha no mundo, sem pai nem mãe, ela corria, arfava, muda, concentrada. Às vezes, na fuga, pairava ofegante num beiral de telhado e enquanto o rapaz galgava outros com dificuldade tinha tempo de se refazer por um momento. E então parecia tão livre.

Estúpida, tímida e livre. Não vitoriosa como seria um galo em fuga. Que é que havia nas suas vísceras que fazia dela um ser? A galinha é um ser. É verdade que não se poderia contar com ela para nada. Nem ela própria contava consigo, como o galo crê na sua crista. Sua única vantagem é que havia tantas galinhas que morrendo uma surgiria no mesmo instante outra tão igual como se fora a mesma.

Afinal, numa das vezes em que parou para gozar sua fuga, o rapaz alcançou-a. Entre gritos e penas, ela foi presa. Em seguida carregada em triunfo por uma asa através das telhas e pousada no chão da cozinha com certa violência. Ainda tonta, sacudiu-se um pouco, em cacarejos roucos e indecisos.

Foi então que aconteceu. De pura afobação a galinha pôs um ovo. Surpreendida, exausta. Talvez fosse prematuro. Mas logo depois, nascida que fora para a maternidade, parecia uma velha mãe habituada. Sentou-se sobre o ovo e assim ficou, respirando, abotoando e desabotoando os olhos. Seu coração, tão pequeno num prato, solevava e abaixava as penas, enchendo de tepidez aquilo que nunca passaria de um ovo. Só a menina estava perto e assistiu a tudo estarrecida. Mal porém conseguiu desvencilhar-se do acontecimento, despregou-se do chão e saiu aos gritos:

– Mamãe, mamãe, não mate mais a galinha, ela pôs um ovo! ela quer o nosso bem!

Todos correram de novo à cozinha e rodearam mudos a jovem parturiente. Esquentando seu filho, esta não era nem suave nem arisca, nem alegre, nem triste, não era nada, era uma galinha. O que não sugeria nenhum sentimento especial. O pai, a mãe e a filha olhavam já há algum tempo, sem propriamente um pensamento qualquer. Nunca ninguém acariciou uma cabeça de galinha. O pai afinal decidiu-se com certa brusquidão:

– Se você mandar matar esta galinha nunca mais comerei galinha na minha vida!

– Eu também! jurou a menina com ardor.

A mãe, cansada, deu de ombros.

Inconsciente da vida que lhe fora entregue, a galinha passou a morar com a família. A menina, de volta do colégio, jogava a pasta longe sem interromper a corrida para a cozinha. O pai de vez em quando ainda se lembrava: "E dizer que a obriguei a correr naquele estado!" A galinha tornara-se a rainha da casa. Todos, menos ela, o sabiam. Continuou entre a cozinha e o terraço dos fundos, usando suas duas capacidades: a de apatia e a do sobressalto.

Mas quando todos estavam quietos na casa e pareciam tê-la esquecido, enchia-se de uma pequena coragem, resquícios da grande fuga – e circulava pelo ladrilho, o corpo avançando atrás da cabeça, pausado como num campo, embora a pequena cabeça a traísse: mexendo-se rápida e vibrátil, com o velho susto de sua espécie já mecanizado.

Uma vez ou outra, sempre mais raramente, lembrava de novo a galinha que se recortara contra o ar à beira do telhado, prestes a anunciar. Nesses momentos enchia os pulmões com o ar impuro da cozinha e, se fosse dado às fêmeas cantar, ela não cantaria mas ficaria muito mais contente. Embora nem nesses instantes a expressão de sua vazia cabeça se alterasse. Na fuga, no descanso, quando deu à luz ou bicando milho – era uma cabeça de galinha, a mesma que fora desenhada no começo dos séculos.

Até que um dia mataram-na, comeram-na e passaram--se anos.

A IMITAÇÃO DA ROSA

Antes que Armando voltasse do trabalho a casa deveria estar arrumada e ela própria já no vestido marrom para que pudesse atender o marido enquanto ele se vestia, e então sairiam com calma, de braço dado como antigamente. Há quanto tempo não faziam isso?

Mas agora que ela estava de novo "bem", tomariam o ônibus, ela olhando como uma esposa pela janela, o braço no dele, e depois jantariam com Carlota e João, recostados na cadeira com intimidade. Há quanto tempo não via Armando enfim se recostar com intimidade e conversar com um homem? A paz de um homem era, esquecido de sua mulher, conversar com outro homem sobre o que saía nos jornais. Enquanto isso ela falaria com Carlota sobre coisas de mulheres, submissa à bondade autoritária e prática de Carlota, recebendo enfim de novo a desatenção e o vago desprezo da amiga, a sua rudeza natural, e não mais aquele carinho perplexo e cheio de curiosidade – e vendo enfim Armando esquecido da própria mulher. E ela mesma, enfim, voltando à insignificância com reconhecimento. Como um gato que passou a noite fora e, como se nada tivesse acontecido, encontrasse sem uma palavra um pires de leite esperando. As pessoas felizmente ajudavam a fazê-la sentir que agora estava "bem". Sem a fitarem, ajudavam-na ativamente a esquecer, fingindo elas próprias o esquecimento como se tivessem lido a mesma bula do mesmo vidro de remédio. Ou tinham esquecido realmente, quem sabe. Há quanto tempo não via Armando enfim se recostar com abandono, esquecido dela? E ela mesma?

Interrompendo a arrumação da penteadeira, Laura olhou-se ao espelho: e ela mesma, há quanto tempo? Seu rosto tinha uma graça doméstica, os cabelos eram presos com grampos atrás das orelhas grandes e pálidas. Os olhos marrons, os cabelos marrons, a pele morena e suave, tudo dava a seu rosto já não muito moço um ar modesto de mulher. Por acaso alguém veria, naquela mínima ponta de surpresa que havia no fundo de seus olhos, alguém veria nesse mínimo ponto ofendido a falta dos filhos que ela nunca tivera?

Com seu gosto minucioso pelo método – o mesmo que a fazia quando aluna copiar com letra perfeita os pontos da aula sem compreendê-los – com seu gosto pelo método, agora reassumido, planejava arrumar a casa antes que a empregada saísse de folga para que, uma vez Maria na rua, ela não precisasse fazer mais nada, senão 1º) calmamente vestir-se; 2º) esperar Armando já pronta; 3º) o terceiro o que era? Pois é. Era isso mesmo o que faria. E poria o vestido marrom com gola de renda creme. Com seu banho tomado. Já no tempo do Sacré Coeur ela fora arrumada e limpa, com um gosto pela higiene pessoal e um certo horror à confusão. O que não fizera nunca com que Carlota, já naquele tempo um pouco original, a admirasse. A reação das duas sempre fora diferente. Carlota ambiciosa e rindo com força: ela, Laura, um pouco lenta, e por assim dizer cuidando em se manter sempre lenta; Carlota não vendo perigo em nada. E ela cuidadosa. Quando lhe haviam dado para ler a "Imitação de Cristo", com um ardor de burra ela lera sem entender mas, que Deus a perdoasse, ela sentira que quem imitasse Cristo estaria perdido – perdido na luz, mas perigosamente perdido. Cristo era a pior tentação. E Carlota nem ao menos quisera ler, mentira para a freira dizendo que tinha lido. Pois é. Poria o vestido marrom com gola de renda verdadeira.

Mas quando viu as horas lembrou-se, num sobressalto que a fez levar a mão ao peito, que se esquecera de tomar o copo de leite.

Encaminhou-se para a cozinha e, como se tivesse culposamente traído com seu descuido Armando e os amigos devotados, ainda junto da geladeira bebeu os primeiros goles com um devagar ansioso, concentrando-se em cada gole com fé como se estivesse indenizando a todos e se penitenciando. Se o médico dissera: "Tome leite entre as refeições, nunca fique com o estômago vazio pois isso dá ansiedade" – então, mesmo sem ameaça de ansiedade, ela tomava sem discutir gole por gole, dia após dia, não falhara nunca, obedecendo de olhos fechados, com um ligeiro ardor para que não pudesse enxergar em si a menor incredulidade. O embaraçante é que o médico parecia contradizer-se quando, ao mesmo tempo que recomendava uma ordem precisa que ela queria seguir com o zelo de uma convertida, dissera também: "Abandone-se, tente tudo suavemente, não se esforce por conseguir – esqueça completamente o que aconteceu e tudo voltará com naturalidade." E lhe dera uma palmada nas costas, o que a lisonjeara e a fizera corar de prazer. Mas na sua humilde opinião uma ordem parecia anular a outra, como se lhe pedissem para comer farinha e assobiar ao mesmo tempo. Para fundi-las numa só ela passara a usar um engenho: aquele copo de leite que terminara por ganhar um secreto poder, que tinha dentro de cada gole quase o gosto de uma palavra e renovava a forte palmada nas costas, aquele copo de leite ela o levava à sala, onde se sentava "com muita naturalidade", fingindo falta de interesse, "não se esforçando" – e assim cumprindo espertamente a segunda ordem. "Não tem importância que eu engorde", pensou, o principal nunca fora a beleza.

Sentou-se no sofá como se fosse uma visita na sua própria casa que, tão recentemente recuperada, arrumada e fria, lembrava a tranquilidade de uma casa alheia. O que era tão satisfatório: ao contrário de Carlota, que fizera de seu lar algo parecido com ela própria, Laura tinha tal prazer em fazer de sua casa uma coisa impessoal; de certo modo perfeita por ser impessoal.

Oh como era bom estar de volta, realmente de volta, sorriu ela satisfeita. Segurando o copo quase vazio, fechou os olhos com um suspiro de cansaço bom. Passara a ferro as camisas de Armando, fizera listas metódicas para o dia seguinte, calculara minuciosamente o que gastara de manhã na feira, não parara na verdade um instante sequer. Oh como era bom estar de novo cansada.

Se uma pessoa perfeita do planeta Marte descesse e soubesse que as pessoas da Terra se cansavam e envelheciam, teria pena e espanto. Sem entender jamais o que havia de bom em ser gente, em sentir-se cansada, em diariamente falir; só os iniciados compreenderiam essa nuance de vício e esse refinamento de vida.

E ela retornara enfim da perfeição do planeta Marte. Ela, que nunca ambicionara senão ser a mulher de um homem, reencontrava grata sua parte diariamente falível. De olhos fechados suspirou reconhecida. Há quanto tempo não se cansava? Mas agora sentia-se todos os dias quase exausta e passara, por exemplo, as camisas de Armando, sempre gostara de passar a ferro e, sem modéstia, era uma passadeira de mão cheia. E depois ficava exausta como uma recompensa. Não mais aquela falta alerta de fadiga. Não mais aquele ponto vazio e acordado e horrivelmente maravilhoso dentro de si. Não mais aquela terrível independência. Não mais a facilidade monstruosa e simples de não dormir – nem de dia nem de noite – que na sua discrição a fizera subitamente super-humana em relação a um marido cansado e perplexo. Ele, com aquele hálito que tinha quando estava mudo de preocupação, o que dava a ela uma piedade pungente, sim, mesmo dentro de sua perfeição acordada, a piedade e o amor, ela super-humana e tranquila no seu isolamento brilhante, e ele, quando tímido, vinha visitá-la levando maçãs e uvas que a enfermeira com um levantar de ombros comia, ele fazendo visita de cerimônia como um namorado, com o hálito infeliz e um sorriso fixo, esforçando-se no seu heroísmo por compreender, ele que a recebera de um pai e de um padre, e que não sabia o que fazer com essa moça da Tijuca que inesperadamente, como um barco tranquilo se empluma nas águas, se tornara super-humana.

Agora, nada mais disso. Nunca mais. Oh, fora apenas uma fraqueza; o gênio era a pior tentação. Mas depois ela voltara tão completamente que até já começava de novo a precisar de tomar cuidado para não amolar os outros com seu velho gosto pelo detalhe. Ela bem se lembrava das colegas do Sacré Coeur lhe dizendo: "Você já contou isso mil vezes!", ela se lembrava com um sorriso constrangido. Voltara tão completamente: agora todos os dias ela se cansava, todos os dias seu rosto decaía ao entardecer, e a noite então tinha a sua antiga finalidade, não era apenas a perfeita noite estrelada. E tudo se completava harmonioso. E, como para todo o mundo, cada dia a fatigava; como todo o mundo, humana e perecível. Não mais aquela perfeição, não mais aquela juventude. Não mais aquela coisa que um dia se alastrara clara, como um câncer, a sua alma.

Abriu os olhos pesados de sono, sentindo o bom copo sólido nas mãos, mas fechou-os de novo com um sorriso confortável de cansaço, banhando-se como um novo-rico em todas as suas partículas, nessa água familiar e ligeiramente enjoativa. Sim, ligeiramente enjoativa; que importância tinha, pois se também ela era um pouco enjoativa, bem sabia. Mas o marido não achava, e então que importância tinha, pois se graças a Deus ela não vivia num ambiente que exigis-se que ela fosse mais arguta e interessante, e até do ginásio, que tão embaraçosamente exigira que ela fosse alerta, ela se livrara. Que importância tinha. No cansaço – passara as camisas de Armando, sem contar que fora de manhã à feira e demorara tanto lá, com aquele gosto que tinha em fazer as coisas renderem – no cansaço havia um lugar bom para ela, o lugar discreto e apagado de onde, com tanto constrangimento para si e para os outros, saíra uma vez. Mas como ia dizendo, graças a Deus, voltara.

E se procurasse com mais crença e amor, encontraria dentro do cansaço aquele lugar ainda melhor que seria o sono. Suspirou com prazer, por um momento de travessura maliciosa tentada a ir de encontro ao hálito morno que era sua respiração já sonolenta, por um instante tentada a cochilar. "Um instante só, só um instantezinho!", pediu-se lisonjeada por ter tanto sono, pedia cheia de manha, como se pedisse a um homem, o que sempre agradara muito Armando.

Mas não tinha verdadeiramente tempo de dormir agora, nem sequer de tirar um cochilo – pensou vaidosa e com falsa modéstia, ela era uma pessoa tão ocupada! sempre invejara as pessoas que diziam "não tive tempo" e agora ela era de novo uma pessoa tão ocupada: iam jantar com Carlota e tudo tinha que estar ordeiramente pronto, era o primeiro jantar fora desde que voltara e ela não queria chegar atrasada, tinha que estar pronta quando... bem, eu já disse isso mil vezes, pensou encabulada. Bastaria dizer uma só vez: "não queria chegar atrasada" – pois isso era motivo suficiente: se nunca suportara sem enorme vexame ser um transtorno para alguém, agora então, mais que nunca, não deveria... Não, não havia a menor dúvida: não tinha tempo de dormir. O que devia fazer, mexendo-se com familiaridade naquela íntima riqueza da rotina – e magoava-a que Carlota desprezasse seu gosto pela rotina – o que devia fazer era 1º) esperar que a empregada estivesse pronta; 2º) dar-lhe o dinheiro para ela já trazer a carne de manhã, chã de dentro; como explicar que a dificuldade de achar carne boa era até um assunto bom, mas se Carlota soubesse a desprezaria; 3º) começar minuciosamente a se lavar e a se vestir, entregando-se sem reserva ao prazer de fazer o tempo render. O vestido marrom combinava com seus olhos e a golinha de renda creme dava-lhe alguma coisa de infantil, como um menino antigo. E, de volta à paz noturna da Tijuca – não mais aquela luz cega das enfermeiras penteadas e alegres saindo para as folgas depois de tê-la lançado como a uma galinha indefesa no abismo da insulina –, de volta à paz noturna da Tijuca, de volta à sua verdadeira vida: ela iria de braço dado com Armando, andando devagar para o ponto do ônibus, com aquelas coxas baixas e grossas que a cinta empacotava numa só fazendo dela uma "senhora distinta"; mas quando, sem jeito, ela dizia a Armando que isso vinha de insuficiência ovariana, ele, que se sentia lisonjeado com as coxas de sua mulher, respondia com muita audácia: "De que me adiantava casar com uma bailarina?", era isso o que ele respondia. Ninguém diria, mas Armando podia ser às vezes muito malicioso, ninguém diria. De vez em quando eles diziam a mesma coisa. Ela explicava que era por causa de insuficiência ovariana. Então ele falava assim: "De que é que me adiantava ser casado com uma bailarina?" Às vezes ele era muito sem-vergonha, ninguém diria. Carlota ficaria espantada se soubesse que eles também tinham vida íntima e coisas a não contar, mas ela não contaria, era uma pena não poder contar, Carlota na certa pensava que ela era apenas ordeira e comum e um pouco chata, e se ela era obrigada a tomar cuidado para não importunar os outros com detalhes, com Armando ela às vezes relaxava e era chatinha, o que não tinha importância porque ele fingia que ouvia mas não ouvia tudo o que ela lhe contava, o que não a magoava, ela compreendia perfeitamente bem que suas conversas cansavam um pouquinho uma pessoa, mas era bom poder lhe contar que não encontrara carne mesmo que Armando balançasse a cabeça e não ouvisse, a empregada e ela conversavam muito, na verdade mais ela mesma que a empregada, e ela também tomava cuidado para não cacetear a empregada que às vezes continha a impaciência e ficava um pouco malcriada, a culpa era mesmo sua porque nem sempre ela se fazia respeitar.

Mas, como ela ia dizendo, de braço dado, baixinha e ele alto e magro, mas ele tinha saúde graças a Deus, e ela castanha. Ela castanha como obscuramente achava que uma esposa devia ser. Ter cabelos pretos ou louros eram um excesso que, na sua vontade de acertar, ela nunca ambicionara. Então, em matéria de olhos verdes, parecia-lhe que se tivesse olhos verdes seria como se não dissesse tudo a seu marido. Não é que Carlota desse propriamente o que falar, mas ela, Laura – que se tivesse oportunidade a defenderia ardentemente, mas nunca tivera a oportunidade – ela, Laura, era obrigada a contragosto a concordar que a amiga tinha um modo esquisito e engraçado de tratar o marido, oh não por ser "de igual para igual", pois isso agora se usava, mas você sabe o que quero dizer. E Carlota era até um pouco original, isso até ela já comentara uma vez com Armando e Armando concordara mas não dera muita importância. Mas, como ela ia dizendo, de marrom com a golinha... – o devaneio enchia-a com o mesmo gosto que tinha em arrumar gavetas, chegava a desarrumá-las para poder arrumá--las de novo.

Abriu os olhos, e como se fosse a sala que tivesse tirado um cochilo e não ela, a sala parecia renovada e repousada com suas poltronas escovadas e as cortinas que haviam encolhido na última lavagem, com calças curtas demais e a pessoa olhando cômica para as próprias pernas. Oh como era bom rever tudo arrumado e sem poeira, tudo limpo pelas suas próprias mãos destras, e tão silencioso, e com um jarro de flores, como uma sala de espera. Sempre achara lindo uma sala de espera, tão respeitoso, tão impessoal. Como era rica a vida comum, ela que enfim voltara da extravagância. Até um jarro de flores. Olhou-o.

– Ah como são lindas, exclamou seu coração de repente um pouco infantil. Eram miúdas rosas silvestres que ela comprara de manhã na feira, em parte porque o homem insistira tanto, em parte por ousadia. Arrumara-as no jarro de manhã mesmo, enquanto tomava o sagrado copo de leite das dez horas.

Mas à luz desta sala as rosas estavam em toda a sua completa e tranquila beleza.

Nunca vi rosas tão bonitas, pensou com curiosidade. E como se não tivesse acabado de pensar exatamente isso, vagamente consciente de que acabara de pensar exatamente isso e passando rápida por cima do embaraço em se reconhecer um pouco cacete, pensou numa etapa mais nova de surpresa: "sinceramente, nunca vi rosas tão bonitas". Olhou-as com atenção. Mas a atenção não podia se manter muito tempo como simples atenção, transformava-se logo em suave prazer, e ela não conseguia mais analisar as rosas, era obrigada a interromper-se com a mesma exclamação de curiosidade submissa: como são lindas.

Eram algumas rosas perfeitas, várias no mesmo talo. Em algum momento tinham trepado com ligeira avidez umas sobre as outras mas depois, o jogo feito, haviam se imobilizado tranquilas. Eram algumas rosas perfeitas na sua miudez, não de todo desabrochadas, e o tom rosa era quase branco. Parecem até artificiais! disse em surpresa. Poderiam dar a impressão de brancas se estivessem totalmente abertas mas, com as pétalas centrais enrodilhadas em botão, a cor se concentrava e, como num lóbulo de orelha, sentia-se o rubor circular dentro delas. Como são lindas, pensou Laura surpreendida.

Mas, sem saber por quê, estava um pouco constrangida, um pouco perturbada. Oh, nada demais, apenas acontecia que a beleza extrema incomodava.

Ouviu os passos da empregada no ladrilho da cozinha e pelo som oco reconheceu que ela estava de salto alto; devia pois estar pronta para sair. Então Laura teve uma ideia de certo modo muito original: por que não pedir a Maria para passar por Carlota e deixar-lhe as rosas de presente?

E também porque aquela beleza extrema incomodava. Incomodava? Era um risco. Oh, não, por que risco? apenas incomodava, eram uma advertência, oh não, por que advertência? Maria daria as rosas a Carlota.

– D. Laura mandou, diria Maria.

Sorriu pensativa: Carlota estranharia que Laura, podendo trazer pessoalmente as rosas, já que desejava presenteá-las, mandasse-as antes do jantar pela empregada. Sem falar que acharia engraçado receber as rosas, acharia "refinado"...

– Essas coisas não são necessárias entre nós, Laura! diria a outra com aquela franqueza um pouco bruta, e Laura diria num abafado grito de arrebatamento:

– Oh não! não! não é por causa do convite para jantar! é que as rosas eram tão lindas que tive o impulso de dar a você!

Sim, se na hora desse jeito e ela tivesse coragem, era assim mesmo que diria. Como é mesmo que diria? precisava não esquecer: diria – Oh não! etc. E Carlota se surpreenderia com a delicadeza de sentimentos de Laura, ninguém imaginaria que Laura tivesse também suas ideiazinhas. Nesta cena imaginária e aprazível que a fazia sorrir beata, ela chamava a si mesma de "Laura", como a uma terceira pessoa. Uma terceira pessoa cheia daquela fé suave e crepitante e grata e tranquila, Laura, a da golinha de renda verdadeira, vestida com discrição, esposa de Armando, enfim um Armando que não precisava mais se forçar a prestar atenção em todas as suas conversas sobre empregada e carne, que não precisava mais pensar na sua mulher, como um homem que é feliz, como um homem que não é casado com uma bailarina.

– Não pude deixar de lhe mandar as rosas, diria Laura, essa terceira pessoa tão, mas tão... E dar as rosas era quase tão bonito como as próprias rosas.

E mesmo ela ficaria livre delas.

E o que é mesmo que aconteceria então? Ah, sim: como ia dizendo, Carlota surpreendida com aquela Laura que não era inteligente nem boa mas que tinha também seus sentimentos secretos. E Armando? Armando a olharia com um pouco de bom espanto – pois é essencial não esquecer que de forma alguma ele está sabendo que a empregada levou de tarde as rosas! – Armando encararia com benevolência os impulsos de sua pequena mulher, e de noite eles dormiriam juntos.

E ela teria esquecido as rosas e a sua beleza.

Não, pensou de súbito vagamente avisada. Era preciso tomar cuidado com o olhar de espanto dos outros. Era preciso nunca mais dar motivo para espanto, ainda mais com tudo ainda tão recente. E sobretudo poupar a todos o mínimo sofrimento da dúvida. E que não houvesse nunca mais necessidade da atenção dos outros – nunca mais essa coisa horrível de todos olharem-na mudos, e ela em frente a todos. Nada de impulsos.

Mas ao mesmo tempo viu o copo vazio na mão e pensou também: "ele" disse que eu não me esforce por conseguir, que não pense em tomar atitudes apenas para provar que já estou...

– Maria, disse então ao ouvir de novo os passos da empregada. E quando esta se aproximou, disse-lhe temerária e desafiadora: você poderia passar pela casa de d. Carlota e deixar estas rosas para ela? Você diz assim: "D. Carlota, d. Laura mandou". Você diz assim: "D. Carlota..."

– Sei, sei, disse a empregada paciente.

Laura foi buscar uma velha folha de papel de seda. Depois tirou com cuidado as rosas do jarro, tão lindas e tranquilas, com os delicados e mortais espinhos. Queria fazer um ramo bem artístico. E ao mesmo tempo se livraria delas. E poderia se vestir e continuar seu dia. Quando reuniu as rosinhas úmidas em buquê, afastou a mão que as segurava, olhou-as a distância, entortando a cabeça e entrefechando os olhos para um julgamento imparcial e severo.

E quando olhou-as, viu as rosas.

E então, incoercível, suave, ela insinuou em si mesma: não dê as rosas, elas são lindas.

Um segundo depois, muito suave ainda, o pensamento ficou levemente mais intenso, quase tentador: não dê, elas são suas. Laura espantou-se um pouco: porque as coisas nunca eram dela.

Mas estas rosas eram. Rosadas, pequenas, perfeitas: eram. Olhou-as com incredulidade: eram lindas e eram suas. Se conseguisse pensar mais adiante, pensaria: suas como nada até agora tinha sido.

E mesmo podia ficar com elas pois já passara aquele primeiro desconforto que fizera com que vagamente ela tivesse evitado olhar demais as rosas.

Por que dá-las, então? lindas e dá-las? Pois quando você descobre uma coisa boa, então você vai e dá? Pois se eram suas, insinuava-se ela persuasiva sem encontrar outro argumento além do mesmo que, repetido, lhe parecia cada vez mais convincente e simples. Não iam durar muito – por que então dá-las enquanto estavam vivas? O prazer de tê-las não significava grande risco – enganou-se ela – pois, quisesse ou não quisesse, em breve seria forçada a se privar delas, e nunca mais então pensaria nelas pois elas teriam morrido – elas não iam durar muito, por que então dá-las? O fato de não durarem muito parecia tirar-lhe a culpa de ficar com elas, numa obscura lógica de mulher que peca. Pois via-se que iam durar pouco (ia ser rápido, sem perigo). E mesmo – argumentou numa última e vitoriosa rejeição de culpa – não fora de modo algum ela quem quisera comprar, o vendedor insistira muito e ela se tornava sempre tão tímida quando a constrangiam, não fora ela quem quisera comprar, ela não tinha culpa nenhuma. Olhou-as com enlevo, pensativa, profunda.

E, sinceramente, nunca vi na minha vida coisa mais perfeita.

Bem, mas agora ela já falara com Maria e não teria jeito de voltar atrás. Seria então tarde demais? assustou-se vendo as rosinhas que aguardavam impassíveis na sua própria mão. Se quisesse, não seria tarde demais... Poderia dizer a Maria: "ô Maria, resolvi que eu mesma levo as rosas quando for jantar!" E, é claro, não as levaria... E Maria nunca precisaria saber. E, antes de mudar de roupa, ela se sentaria no sofá por um instante, só por um instante, para olhá-las. E olhar aquela tranquila isenção das rosas. Sim, porque, já tendo feito a coisa, mais valia aproveitar, não seria boba de ficar com a fama sem o proveito. Era isso mesmo o que faria.

Mas com as rosas desembrulhadas na mão ela esperava. Não as depunha no jarro, não chamava Maria. Ela sabia por quê. Porque devia dá-las. Oh ela sabia por quê.

E também porque uma coisa bonita era para se dar ou para se receber, não apenas para se ter. E, sobretudo, nunca para se "ser". Sobretudo nunca se deveria ser a coisa bonita. A uma coisa bonita faltava o gesto de dar. Nunca se devia ficar com uma coisa bonita, assim, como que guardada dentro do silêncio perfeito do coração. (Embora, se ela não desse as rosas, nunca ninguém no mundo ia saber que ela pretendera dá-las, quem iria jamais descobrir? era horrivelmente fácil e ao alcance da mão ficar com elas, pois quem iria descobrir? e elas seriam suas, e as coisas ficariam por isso mesmo e não se fala mais nisso...)

Então? e então? indagou-se vagamente inquieta.

Então, não. O que devia fazer era embrulhá-las e mandá-las, sem nenhum prazer agora; embrulhá-las e, decepcionada, mandá-las; e espantada ficar livre delas. Também porque uma pessoa tinha que ter coerência, seus pensamentos deviam ter congruência: se espontaneamente resolvera cedê-las a Carlota, deveria manter a resolução e dá-las. Pois ninguém mudava de ideia de um momento para outro.

Mas qualquer pessoa pode se arrepender! revoltou-se de súbito. Pois se só no momento de pegar as rosas é que notei quanto as achava lindas, pela primeira vez na verdade, ao pegá-las, notara que eram lindas. Ou um pouco antes? (E mesmo elas eram suas.) E mesmo o próprio médico lhe dera a palmada nas costas e dissera: "não se esforce por fingir que a senhora está bem, porque a senhora *está* bem", e depois a palmada forte nas costas. Assim, pois, ela não era obrigada a ter coerência, não tinha que provar nada a ninguém e ficaria com as rosas. (E mesmo – e mesmo elas eram suas.)

– Estão prontas? perguntou Maria.

– Estão, disse Laura surpreendida.

Olhou-as, tão mudas na sua mão. Impessoais na sua extrema beleza. Na sua extrema tranquilidade perfeita de rosas. Aquela última instância: a flor. Aquele último aperfeiçoamento: a luminosa tranquilidade.

Como uma viciada, ela olhava ligeiramente ávida a perfeição tentadora das rosas, com a boca um pouco seca olhava-as.

Até que, devagar, austera, enrolou os talos e espinhos no papel de seda. Tão absorta estivera que só ao estender o ramo pronto notou que Maria não estava mais na sala – e ficou sozinha com seu heróico sacrifício. Vagamente dolorosa, olhou-as, assim distantes como estavam na ponta do braço estendido – e a boca ficou ainda mais enxuta, aquela inveja, aquele desejo. Mas elas são minhas, disse com enorme timidez.

Quando Maria voltou e pegou o ramo, por um mínimo instante de avareza Laura encolheu a mão retendo as rosas um segundo mais consigo – elas são lindas e são minhas, é a primeira coisa linda e minha! e foi o homem que insistiu, não fui eu que procurei! foi o destino quem quis! oh só dessa vez! só essa vez e juro que nunca mais! (Ela poderia pelo menos tirar para si uma rosa, nada mais que isso: uma rosa para si. E só ela saberia, e depois nunca mais oh, ela se prometia que nunca mais se deixaria tentar pela perfeição, nunca mais!)

E no segundo seguinte, sem nenhuma transição, sem nenhum obstáculo – as rosas estavam na mão da empregada, não eram mais suas, como uma carta que já se pôs no correio! não se pode mais recuperar nem riscar os dizeres! não adianta gritar: não foi isso o que quis dizer! Ficou com as mãos vazias mas seu coração obstinado e rancoroso ainda dizia: "você pode pegar Maria nas escadas, você bem sabe que pode, e tirar as rosas de sua mão e roubá-las". Por que tirá-las agora seria roubar? Roubar o que era seu? Pois era assim que uma pessoa que não tivesse nenhuma pena dos outros faria: roubaria o que era seu por direito! Oh, tem piedade, meu Deus. Você pode recuperar tudo, insistia com cólera. E então a porta da rua bateu.

Então a porta da rua bateu.

Então devagar ela se sentou calma no sofá. Sem apoiar as costas. Só para descansar. Não, não estava zangada, oh nem um pouco. Mas o ponto ofendido no fundo dos olhos estava maior e pensativo. Olhou o jarro. "Cadê minhas rosas", disse então muito sossegada.

E as rosas faziam-lhe falta. Haviam deixado um lugar claro dentro dela. Tira-se de uma mesa limpa um objeto e pela marca mais limpa que ficou então se vê que ao redor havia poeira. As rosas haviam deixado um lugar sem poeira e sem sono dentro dela. No seu coração, aquela rosa, que ao menos poderia ter tirado para si sem prejudicar ninguém no mundo, faltava. Como uma falta maior.

Na verdade, como a falta. Uma ausência que entrava nela como uma claridade. E também ao redor da marca das rosas a poeira ia desaparecendo. O centro da fadiga se abria em círculo que se alargava. Como se ela não tivesse passado nenhuma camisa de Armando. E na clareira as rosas faziam falta. "Cadê minhas rosas", queixou-se sem dor alisando as preguinhas da saia.

Como se pinga limão no chá escuro e o chá escuro vai se clareando todo. Seu cansaço ia gradativamente se clareando. Sem cansaço nenhum, aliás. Assim como o vaga-lume acende. Já que não estava mais cansada, ia então se levantar e se vestir. Estava na hora de começar.

Mas, com os lábios secos, procurou um instante imitar por dentro de si as rosas. Não era sequer difícil.

Até bom que não estava cansada. Assim iria até mais fresca para o jantar. Por que não pôr na golinha de renda verdadeira o camafeu? que o major trouxera da guerra na Itália. Arremataria bem o decote. Quando estivesse pronta ouviria o barulho da chave de Armando na porta. Precisava se vestir. Mas ainda era cedo. Com a dificuldade de condução ele demorava. Ainda era de tarde. Uma tarde muito bonita.

Aliás já não era mais de tarde.

Era de noite. Da rua subiam os primeiros ruídos da escuridão e as primeiras luzes.

Aliás a chave penetrou com familiaridade no buraco da fechadura.

Armando abriria a porta. Apertaria o botão de luz. E de súbito no enquadramento da porta se desnudaria aquele rosto expectante que ele procurava disfarçar mas não podia conter. Depois sua respiração suspensa se transformaria enfim num sorriso de grande desopressão. Aquele sorriso embaraçado de alívio que ele nunca suspeitara que ela percebia. Aquele alívio que provavelmente, com uma palmada nas costas, tinham aconselhado seu pobre marido a ocultar. Mas que, para o coração tão cheio de culpa da mulher, tinha sido cada dia a recompensa por ter enfim dado de novo àquele homem a alegria possível e a paz, sagradas pela mão de um padre austero que permitia aos seres apenas a alegria humilde e não a imitação de Cristo.

A chave virou na fechadura, o vulto escuro e precipitado entrou, a luz inundou violenta a sala.

E na porta mesmo ele estacou com aquele ar ofegante e de súbito paralisado como se tivesse corrido léguas para não chegar tarde demais. Ela ia sorrir. Para que ele enfim desmanchasse a ansiosa expectativa do rosto, que sempre vinha misturada com a infantil vitória de ter chegado a tempo de encontrá-la chatinha, boa e diligente, e mulher sua. Ela ia sorrir para que de novo ele soubesse que nunca mais haveria o perigo dele chegar tarde demais. Ia sorrir para ensinar-lhe docemente a confiar nela. Fora inútil recomendarem-lhes que nunca falassem no assunto: eles não falavam mas tinham arranjado uma linguagem de rosto onde medo e confiança se comunicavam, e pergunta e resposta se telegrafavam mudas. Ela ia sorrir. Estava demorando um pouco porém, ia sorrir.

Calma e suave, ela disse:

– Voltou, Armando. Voltou.

Como se nunca fosse entender, ele enviesou um rosto sorridente, desconfiado. Seu principal trabalho no momento era procurar reter o fôlego ofegante da corrida pelas escadas, já que triunfantemente não chegara atrasado, já que ela estava ali a sorrir-lhe. Como se nunca fosse entender.

– Voltou o quê, perguntou afinal num tom inexpressivo.

Mas, enquanto procurava não entender jamais, o rosto cada vez mais suspenso do homem já entendera, sem que um traço se tivesse alterado. Seu trabalho principal era ganhar tempo e se concentrar em reter a respiração. O que de repente já não era mais difícil. Pois inesperadamente ele percebia com horror que a sala e a mulher estavam calmas e sem pressa. Mais desconfiado ainda, como quem fosse terminar enfim por dar uma gargalhada ao constatar o absurdo, ele no entanto teimava em manter o rosto enviesado, de onde a olhava em guarda, quase seu inimigo. E de onde começava a não poder se impedir de vê-la sentada com mãos cruzadas no colo, com a serenidade do vaga-lume que tem luz.

No olhar castanho e inocente o embaraço vaidoso de não ter podido resistir.

– Voltou o quê, disse ele de repente com dureza.

– Não pude impedir, disse ela, e a derradeira piedade pelo homem estava na sua voz, o último pedido de perdão que já vinha misturado à altivez de uma solidão já quase perfeita. Não pude impedir, repetiu entregando-lhe com alívio a piedade que ela com esforço conseguira guardar até que ele chegasse. Foi por causa das rosas, disse com modéstia.

Como se fosse para tirar o retrato daquele instante, ele manteve ainda o mesmo rosto isento, como se o fotógrafo lhe pedisse apenas um rosto e não a alma. Abriu a boca e involuntariamente a cara tomou por um instante a expressão de desprendimento cômico que ele usara para esconder o vexame quando pedira aumento ao chefe. No instante seguinte, desviou os olhos com vergonha pelo despudor de sua mulher que, desabrochada e serena, ali estava.

Mas de súbito a tensão caiu. Seus ombros se abaixaram, os traços do rosto cederam e uma grande pesadez relaxou-o. Ele a olhou envelhecido, curioso.

Ela estava sentada com o seu vestidinho de casa. Ele sabia que ela fizera o possível para não se tornar luminosa e inalcançável. Com timidez e respeito, ele a olhava. Envelhecido, cansado, curioso. Mas não tinha uma palavra sequer a dizer. Da porta aberta via sua mulher que estava sentada no sofá sem apoiar as costas, de novo alerta e tranquila como num trem. Que já partira.

FELIZ ANIVERSÁRIO

A família foi pouco a pouco chegando. Os que vieram de Olaria estavam muito bem-vestidos porque a visita significava ao mesmo tempo um passeio a Copacabana. A nora de Olaria apareceu de azul-marinho, com enfeite de paetês e um drapeado disfarçando a barriga sem cinta. O marido não veio por razões óbvias: não queria ver os irmãos. Mas mandara sua mulher para que nem todos os laços fossem cortados – e esta vinha com o seu melhor vestido para mostrar que não precisava de nenhum deles, acompanhada dos três filhos: duas meninas já de peito nascendo, infantilizadas em babados cor-de-rosa e anáguas engomadas, e o menino acovardado pelo terno novo e pela gravata.

Tendo Zilda – a filha com quem a aniversariante morava – disposto cadeiras unidas ao longo das paredes, como numa festa em que se vai dançar, a nora de Olaria, depois de cumprimentar com cara fechada aos de casa, aboletou-se numa das cadeiras e emudeceu, a boca em bico, mantendo sua posição de ultrajada. "Vim para não deixar de vir", dissera ela a Zilda, e em seguida sentara-se ofendida. As duas mocinhas de cor-de-rosa e o menino, amarelos e de cabelo penteado, não sabiam bem que atitude tomar e ficaram de pé ao lado da mãe, impressionados com seu vestido azul-marinho e com os paetês.

Depois veio a nora de Ipanema com dois netos e a babá. O marido viria depois. E como Zilda – a única mulher entre os seis irmãos homens e a única que, estava decidido já havia anos, tinha espaço e tempo para alojar a aniversariante – e como Zilda estava na cozinha a ultimar com a empregada os croquetes e sanduíches, ficaram: a nora de Olaria empertigada com seus filhos de coração inquieto ao lado; a nora de Ipanema na fila oposta das cadeiras fingindo ocupar-se com o bebê para não encarar a concunhada de Olaria; a babá ociosa e uniformizada, com a boca aberta.

E à cabeceira da mesa grande a aniversariante que fazia hoje oitenta e nove anos.

Zilda, a dona da casa, arrumara a mesa cedo, enchera-a de guardanapos de papel colorido e copos de papelão alusivos à data, espalhara balões sungados pelo teto em alguns dos quais estava escrito "Happy Birthday!", em outros "Feliz Aniversário!". No centro havia disposto o enorme bolo açucarado. Para adiantar o expediente, enfeitara a mesa logo depois do almoço, encostara as cadeiras à parede, mandara os meninos brincar no vizinho para não desarrumar a mesa.

E, para adiantar o expediente, vestira a aniversariante logo depois do almoço. Pusera-lhe desde então a presilha em torno do pescoço e o broche, borrifara-lhe um pouco de água-de-colônia para disfarçar aquele seu cheiro de guardado – sentara-a à mesa. E desde as duas horas a aniversariante estava sentada à cabeceira da longa mesa vazia, tesa na sala silenciosa.

De vez em quando consciente dos guardanapos coloridos. Olhando curiosa um ou outro balão estremecer aos carros que passavam. E de vez em quando aquela angústia muda: quando acompanhava, fascinada e impotente, o voo da mosca em torno do bolo.

Até que às quatro horas entrara a nora de Olaria e depois a de Ipanema.

Quando a nora de Ipanema pensou que não suportaria nem um segundo mais a situação de estar sentada defronte da concunhada de Olaria – que cheia das ofensas passadas não via um motivo para desfitar desafiadora a nora de Ipanema – entraram enfim José e a família. E mal eles se beijavam, a sala começou a ficar cheia de gente que ruidosa se cumprimentava como se todos tivessem esperado embaixo o momento de, em afobação de atraso, subir os três lances de escada, falando, arrastando crianças surpreendidas, enchendo a sala – e inaugurando a festa.

Os músculos do rosto da aniversariante não a interpretavam mais, de modo que ninguém podia saber se ela estava alegre. Estava era posta à cabeceira. Tratava-se de uma velha grande, magra, imponente e morena. Parecia oca.

– Oitenta e nove anos, sim senhor! disse José, filho mais velho agora que Jonga tinha morrido. – Oitenta e nove anos, sim senhora! disse esfregando as mãos em admiração pública e como sinal imperceptível para todos.

Todos se interromperam atentos e olharam a aniversariante de um modo mais oficial. Alguns abanaram a cabeça em admiração como a um recorde. Cada ano vencido pela aniversariante era uma vaga etapa da família toda. Sim senhor! disseram alguns sorrindo timidamente.

– Oitenta e nove anos!, ecoou Manoel que era sócio de José. É um brotinho!, disse espirituoso e nervoso, e todos riram, menos sua esposa.

A velha não se manifestava.

Alguns não lhe haviam trazido presente nenhum. Outros trouxeram saboneteira, uma combinação de jérsei, um broche de fantasia, um vasinho de cactos – nada, nada que a dona da casa pudesse aproveitar para si mesma ou para seus filhos, nada que a própria aniversariante pudesse realmente aproveitar constituindo assim uma economia: a dona da casa guardava os presentes, amarga, irônica.

– Oitenta e nove anos! repetiu Manoel aflito, olhando para a esposa.

A velha não se manifestava.

Então, como se todos tivessem tido a prova final de que não adiantava se esforçarem, com um levantar de ombros de quem estivesse junto de uma surda, continuaram a fazer a festa sozinhos, comendo os primeiros sanduíches de presunto mais como prova de animação que por apetite, brincando de que todos estavam morrendo de fome. O ponche foi servido, Zilda suava, nenhuma cunhada ajudou propriamente, a gordura quente dos croquetes dava um cheiro de piquenique; e de costas para a aniversariante, que não podia comer frituras, eles riam inquietos. E Cordélia? Cordélia, a nora mais moça, sentada, sorrindo.

– Não senhor! respondeu José com falsa severidade, hoje não se fala em negócios!

– Está certo, está certo! recuou Manoel depressa, olhando rapidamente para sua mulher que de longe estendia um ouvido atento.

– Nada de negócios, gritou José, hoje é o dia da mãe!

Na cabeceira da mesa já suja, os copos maculados, só o bolo inteiro – ela era a mãe. A aniversariante piscou os olhos.

E quando a mesa estava imunda, as mães enervadas com o barulho que os filhos faziam, enquanto as avós se recostavam complacentes nas cadeiras, então fecharam a inútil luz do corredor para acender a vela do bolo, uma vela grande com um papelzinho colado onde estava escrito "89". Mas ninguém elogiou a ideia de Zilda, e ela se perguntou angustiada se eles não estariam pensando que fora por economia de velas – ninguém se lembrando de que ninguém havia contribuído com uma caixa de fósforos sequer para a comida da festa que ela, Zilda, servia como uma escrava, os pés exaustos e o coração revoltado. Então acenderam a vela. E então José, o líder, cantou com muita força, entusiasmando com um olhar autoritário os mais hesitantes ou surpreendidos, "vamos! todos de uma vez!" – e todos de repente começaram a cantar alto como soldados. Despertada pelas vozes, Cordélia olhou esbaforida. Como não haviam combinado, uns cantaram em português e outros em inglês. Tentaram então corrigir: e os que haviam cantado em inglês passaram a português, e os que haviam cantado em português passaram a cantar bem baixo em inglês.

Enquanto cantavam, a aniversariante, à luz da vela acesa, meditava como junto de uma lareira.

Escolheram o bisneto menor que, debruçado no colo da mãe encorajadora, apagou a chama com um único sopro cheio de saliva! Por um instante bateram palmas à potência inesperada do menino que, espantado e exultante, olhava para todos encantado. A dona da casa esperava com o dedo pronto no comutador do corredor – e acendeu a lâmpada.

– Viva mamãe!

– Viva vovó!

– Viva d. Anita, disse a vizinha que tinha aparecido.

– *Happy birthday!* gritaram os netos, do Colégio Bennett.

Bateram ainda algumas palmas ralas.

A aniversariante olhava o bolo apagado, grande e seco.

– Parta o bolo, vovó! disse a mãe dos quatro filhos, é ela quem deve partir! assegurou incerta a todos, com ar íntimo e intrigante. E, como todos aprovassem satisfeitos e curiosos, ela se tornou de repente impetuosa: – parta o bolo, vovó!

E de súbito a velha pegou na faca. E sem hesitação, como se hesitando um momento ela toda caísse para a frente, deu a primeira talhada com punho de assassina.

– Que força, segredou a nora de Ipanema, e não se sabia se estava escandalizada ou agradavelmente surpreendida. Estava um pouco horrorizada.

– Há um ano atrás ela ainda era capaz de subir essas escadas com mais fôlego do que eu, disse Zilda amarga.

Dada a primeira talhada, como se a primeira pá de terra tivesse sido lançada, todos se aproximaram de prato na mão, insinuando-se em fingidas acotoveladas de animação, cada um para a sua pazinha.

Em breve as fatias eram distribuídas pelos pratinhos, num silêncio cheio de rebuliço. As crianças pequenas, com a boca escondida pela mesa e os olhos ao nível desta, acompanhavam a distribuição com muda intensidade. As passas rolavam do bolo entre farelos secos. As crianças angustiadas viam se desperdiçarem as passas, acompanhavam atentas a queda.

E quando foram ver, não é que a aniversariante já estava devorando o seu último bocado?

E por assim dizer a festa estava terminada.

Cordélia olhava ausente para todos, sorria.

– Já lhe disse: hoje não se fala em negócios! respondeu José radiante.

– Está certo, está certo! recolheu-se Manoel conciliador sem olhar a esposa que não o desfitava. Está certo, tentou Manoel sorrir e uma contração passou-lhe rápido pelos músculos da cara.

– Hoje é dia da mãe! disse José.

Na cabeceira da mesa, a toalha manchada de Coca-Cola, o bolo desabado, ela era a mãe. A aniversariante piscou.

Eles se mexiam agitados, rindo, a sua família. E ela era a mãe de todos. E se de repente não se ergueu, como um morto se levanta devagar e obriga mudez e terror aos vivos, a aniversariante ficou mais dura na cadeira, e mais alta. Ela era a mãe de todos. E como a presilha a sufocasse, ela era a mãe de todos e, impotente à cadeira, desprezava-os. E olhava-os piscando. Todos aqueles seus filhos e netos e bisnetos que não passavam de carne de seu joelho, pensou de repente como se cuspisse. Rodrigo, o neto de sete anos, era o único a ser a carne de seu coração, Rodrigo, com aquela carinha dura, viril e despenteada. Cadê Rodrigo? Rodrigo com olhar sonolento e entumescido naquela cabecinha ardente, confusa. Aquele seria um homem. Mas, piscando, ela olhava os outros, a aniversariante. Oh o desprezo pela vida que falhava. Como?! como tendo sido tão forte pudera dar à luz aqueles seres opacos, com braços moles e rostos ansiosos? Ela, a forte, que casara em hora e tempo devidos com um bom homem a quem, obediente e independente, ela respeitara; a quem respeitara e que lhe fizera filhos e lhe pagara os partos e lhe honrara os resguardos. O tronco fora bom. Mas dera aqueles azedos e infelizes frutos, sem capacidade sequer para uma boa alegria. Como pudera ela dar à luz aqueles seres risonhos, fracos, sem austeridade? O rancor roncava no seu peito vazio. Uns comunistas, era o que eram; uns comunistas. Olhou-os com sua cólera de velha. Pareciam ratos se acotovelando, a sua família. Incoercível, virou a cabeça e com força insuspeita cuspiu no chão.

– Mamãe! gritou mortificada a dona da casa. Que é isso, mamãe! gritou ela passada de vergonha, e não queria sequer olhar os outros, sabia que os desgraçados se entreolhavam vitoriosos como se coubesse a ela dar educação à velha, e não faltaria muito para dizerem que ela já não dava mais banho na mãe, jamais compreenderiam o sacrifício que ela fazia. – Mamãe, que é isso! – disse baixo, angustiada. – A senhora nunca fez isso! – acrescentou alto para que todos ouvissem, queria se agregar ao espanto dos outros, quando o galo cantar pela terceira vez renegarás tua mãe. Mas seu enorme vexame suavizou-se quando ela percebeu que eles abanavam a cabeça como se estivessem de acordo que a velha não passava agora de uma criança.

– Ultimamente ela deu pra cuspir, terminou então confessando contrita para todos.

Todos olharam a aniversariante, compungidos, respeitosos, em silêncio.

Pareciam ratos se acotovelando, a sua família. Os meninos, embora crescidos – provavelmente já além dos cinquenta anos, que sei eu! – os meninos ainda conservavam os traços bonitinhos. Mas que mulheres haviam escolhido! E que mulheres os netos – ainda mais fracos e mais azedos – haviam escolhido. Todas vaidosas e de pernas finas, com aqueles colares falsificados de mulher que na hora não aguenta a mão, aquelas mulherezinhas que casavam mal os filhos, que não sabiam pôr uma criada em seu lugar, e todas elas com as orelhas cheias de brincos – nenhum, nenhum de ouro! A raiva a sufocava.

– Me dá um copo de vinho! disse.

O silêncio se fez de súbito, cada um com o copo imobilizado na mão.

– Vovozinha, não vai lhe fazer mal? insinuou cautelosa a neta roliça e baixinha.

– Que vovozinha que nada! explodiu amarga a aniversariante. – Que o diabo vos carregue, corja de maricas, coros e vagabundas! me dá um copo de vinho, Dorothy! – ordenou.

Dorothy não sabia o que fazer, olhou para todos em pedido cômico de socorro. Mas, como máscaras isentas e inapeláveis, de súbito nenhum rosto se manifestava. A festa interrompida, os sanduíches mordidos na mão, algum pedaço que estava na boca a sobrar seco, inchando tão fora de hora a bochecha. Todos tinham ficado cegos, surdos e mudos, com croquetes na mão. E olhavam impassíveis.

Desamparada, divertida, Dorothy deu o vinho: astuciosamente apenas dois dedos no copo. Inexpressivos, preparados, todos esperaram pela tempestade.

Mas não só a aniversariante não explodiu com a miséria de vinho que Dorothy lhe dera como não mexeu no copo.

Seu olhar estava fixo, silencioso. Como se nada tivesse acontecido.

Todos se entreolharam polidos, sorrindo cegamente, abstratos como se um cachorro tivesse feito pipi na sala. Com estoicismo, recomeçaram as vozes e risadas. A nora de Olaria, que tivera o seu primeiro momento uníssono com os outros quando a tragédia vitoriosamente parecia prestes a se desencadear, teve que retornar sozinha à sua severidade, sem ao menos o apoio dos três filhos que agora se misturavam traidoramente com os outros. De sua cadeira reclusa, ela analisava crítica aqueles vestidos sem nenhum modelo, sem um drapeado, a mania que tinham de usar vestido preto com colar de pérolas, o que não era moda coisa nenhuma, não passava era de economia. Examinando distante os sanduíches que quase não tinham levado manteiga. Ela não se servira de nada, de nada! Só comera uma coisa de cada, para experimentar.

E por assim dizer, de novo a festa estava terminada.

As pessoas ficaram sentadas benevolentes. Algumas com a atenção voltada para dentro de si, à espera de alguma coisa a dizer. Outras vazias e expectantes, com um sorriso amável, o estômago cheio daquelas porcarias que não alimentavam mas tiravam a fome. As crianças, já incontroláveis, gritavam cheias de vigor. Umas já estavam de cara imunda; as outras, menores, já molhadas; a tarde caía rapidamente. E Cordélia, Cordélia olhava ausente, com um sorriso estonteado, suportando sozinha o seu segredo. Que é que ela tem? alguém perguntou com uma curiosidade negligente, indicando-a de longe com a cabeça, mas também não responderam. Acenderam o resto das luzes para precipitar a tranquilidade da noite, as crianças começavam a brigar. Mas as luzes eram mais pálidas que a tensão pálida da tarde. E o crepúsculo de Copacabana, sem ceder, no entanto se alargava cada vez mais e penetrava pelas janelas como um peso.

– Tenho que ir, disse perturbada uma das noras levantando-se e sacudindo os farelos da saia. Vários se ergueram sorrindo.

A aniversariante recebeu um beijo cauteloso de cada um como se sua pele tão infamiliar fosse uma armadilha. E, impassível, piscando, recebeu aquelas palavras propositadamente atropeladas que lhe diziam tentando dar um final arranco de efusão ao que não era mais senão passado: a noite já viera quase totalmente. A luz da sala parecia então mais amarela e mais rica, as pessoas envelhecidas. As crianças já estavam histéricas.

– Será que ela pensa que o bolo substitui o jantar, indagava-se a velha nas suas profundezas.

Mas ninguém poderia adivinhar o que ela pensava. E para aqueles que junto da porta ainda a olharam uma vez, a aniversariante era apenas o que parecia ser: sentada à cabeceira da mesa imunda, com a mão fechada sobre a toalha como encerrando um cetro, e com aquela mudez que era a sua última palavra. Com um punho fechado sobre a mesa, nunca mais ela seria apenas o que ela pensasse. Sua aparência afinal a ultrapassara e, superando-a, se agigantava serena. Cordélia olhou-a espantada. O punho mudo e severo sobre a mesa dizia para a infeliz nora que sem remédio amava talvez pela última vez: É preciso que se saiba. É preciso que se saiba. Que a vida é curta. Que a vida é curta.

Porém nenhuma vez mais repetiu. Porque a verdade era um relance. Cordélia olhou-a estarrecida. E, para nunca mais, nenhuma vez repetiu – enquanto Rodrigo, o neto da aniversariante, puxava a mão daquela mãe culpada, perplexa e desesperada que mais uma vez olhou para trás implorando à velhice ainda um sinal de que uma mulher deve, num ímpeto dilacerante, enfim agarrar a sua derradeira chance e viver. Mais uma vez Cordélia quis olhar.

Mas a esse novo olhar – a aniversariante era uma velha à cabeceira da mesa.

Passara o relance. E arrastada pela mão paciente e insistente de Rodrigo a nora seguiu-o espantada.

– Nem todos têm o privilégio e o orgulho de se reunirem em torno da mãe, pigarreou José lembrando-se de que Jonga é quem fazia os discursos.

– Da mãe, vírgula! riu baixo a sobrinha, e a prima mais lenta riu sem achar graça.

– Nós temos, disse Manoel acabrunhado sem mais olhar para a esposa. Nós temos esse grande privilégio – disse distraído enxugando a palma úmida das mãos.

Mas não era nada disso, apenas o mal-estar da despedida, nunca se sabendo ao certo o que dizer, José esperando de si mesmo com perseverança e confiança a próxima frase do discurso. Que não vinha. Que não vinha. Que não vinha. Os outros aguardavam. Como Jonga fazia falta nessas horas – José enxugou a testa com o lenço – como Jonga fazia falta nessas horas! Também fora o único a quem a velha sempre aprovara e respeitara, e isso dera a Jonga tanta segurança. E quando ele morrera, a velha nunca mais falara nele, pondo um muro entre sua morte e os outros. Esquecera-o talvez. Mas não esquecera aquele mesmo olhar firme e direto com que desde sempre olhara os outros filhos, fazendo-os sempre desviar os olhos. Amor de mãe era duro de suportar: José enxugou a testa, heroico, risonho.

E de repente veio a frase:

– Até o ano que vem! disse José subitamente com malícia, encontrando, assim, sem mais nem menos, a frase certa: uma indireta feliz! Até o ano que vem, hein?, repetiu com receio de não ser compreendido.

Olhou-a, orgulhoso da artimanha da velha que espertamente sempre vivia mais um ano.

– No ano que vem nos veremos diante do bolo aceso! esclareceu melhor o filho Manoel, aperfeiçoando o espírito do sócio. Até o ano que vem, mamãe! e diante do bolo aceso! disse ele bem explicado, perto de seu ouvido, enquanto olhava obsequiador para José. E a velha de súbito cacarejou um riso frouxo, compreendendo a alusão.

Então ela abriu a boca e disse:

– Pois é.

Estimulado pela coisa ter dado tão inesperadamente certo, José gritou-lhe emocionado, grato, com os olhos úmidos:

– No ano que vem nos veremos, mamãe!

– Não sou surda! disse a aniversariante rude, acarinhada.

Os filhos se olharam rindo, vexados, felizes. A coisa tinha dado certo.

As crianças foram saindo alegres, com o apetite estragado. A nora de Olaria deu um cascudo de vingança no filho alegre demais e já sem gravata. As escadas eram difíceis, escuras, incrível insistir em morar num prediozinho que seria fatalmente demolido mais dia menos dia, e na ação de despejo Zilda ainda ia dar trabalho e querer empurrar a velha para as noras – pisado o último degrau, com alívio os convidados se encontraram na tranquilidade fresca da rua. Era noite, sim. Com o seu primeiro arrepio.

Adeus, até outro dia, precisamos nos ver. Apareçam, disseram rapidamente. Alguns conseguiram olhar nos olhos dos outros com uma cordialidade sem receio. Alguns abotoavam os casacos das crianças, olhando o céu à procura de um sinal do tempo. Todos sentindo obscuramente que na despedida se poderia talvez, agora sem perigo de compromisso, ser bom e dizer aquela palavra a mais – que palavra? eles não sabiam propriamente, e olhavam-se sorrindo, mudos. Era um instante que pedia para ser vivo. Mas que era morto. Começaram a se separar, andando meio de costas, sem saber como se desligar dos parentes sem bruscidão.

– Até o ano que vem! repetiu José a indireta feliz, acenando a mão com vigor efusivo, os cabelos ralos e brancos esvoaçavam. Ele estava era gordo, pensaram, precisava tomar cuidado com o coração. Até o ano que vem! gritou José eloquente e grande, e sua altura parecia desmoronável. Mas as pessoas já afastadas não sabiam se deviam rir alto para ele ouvir ou se bastaria sorrir mesmo no escuro. Além de alguns pensarem que felizmente havia mais do que uma brincadeira na indireta e que só no próximo ano seriam obrigados a se encontrar diante do bolo aceso; enquanto que outros, já mais no escuro da rua, pensavam se a velha resistiria mais um ano ao nervoso e à impaciência de Zilda, mas eles sinceramente nada podiam fazer a respeito: "Pelo menos noventa anos", pensou melancólica a nora de Ipanema. "Para completar uma data bonita", pensou sonhadora.

Enquanto isso, lá em cima, sobre escadas e contingências, estava a aniversariante sentada à cabeceira da mesa, erecta, definitiva, maior do que ela mesma. Será que hoje não vai ter jantar, meditava ela. A morte era o seu mistério.

A MENOR MULHER DO MUNDO

Nas profundezas da África Equatorial o explorador francês Marcel Pretre, caçador e homem do mundo, topou com uma tribo de pigmeus de uma pequenez surpreendente. Mais surpreso, pois, ficou ao ser informado de que menor povo ainda existia além de florestas e distâncias. Então mais fundo ele foi.

No Congo Central descobriu realmente os menores pigmeus do mundo. E – como uma caixa dentro de uma caixa, dentro de uma caixa – entre os menores pigmeus do mundo estava o menor dos menores pigmeus do mundo, obedecendo talvez à necessidade que às vezes a Natureza tem de exceder a si própria.

Entre mosquitos e árvores mornas de umidade, entre as folhas ricas do verde mais preguiçoso, Marcel Pretre defrontou-se com uma mulher de quarenta e cinco centímetros, madura, negra, calada. "Escura como um macaco", informaria ele à imprensa, e que vivia no topo de uma árvore com seu pequeno concubino. Nos tépidos humores silvestres, que arredondam cedo as frutas e lhes dão uma quase intolerável doçura ao paladar, ela estava grávida.

Ali em pé estava, portanto, a menor mulher do mundo. Por um instante, no zumbido do calor, foi como se o francês tivesse inesperadamente chegado à conclusão última. Na certa, apenas por não ser louco, é que sua alma não desvairou nem perdeu os limites. Sentindo necessidade imediata de ordem, e de dar nome ao que existe, apelidou-a de Pequena Flor. E, para conseguir classificá-la entre as realidades reconhecíveis, logo passou a colher dados a seu respeito.

Sua raça de gente está aos poucos sendo exterminada. Poucos exemplares humanos restam dessa espécie que, não fosse o sonso perigo da África, seria povo alastrado. Fora doença, infectado hálito de águas, comida deficiente e feras rondantes, o grande risco para os escassos Likoualas está nos selvagens Bantos, ameaça que os rodeia em ar silencioso como em madrugada de batalha. Os Bantos os caçam em redes, como fazem com os macacos. E os comem. Assim: caçam-nos em redes e os comem. A racinha de gente, sempre a recuar e a recuar, terminou aquarteirando-se no coração da África, onde o explorador afortunado a descobriria. Por defesa estratégica, moram nas árvores mais altas. De onde as mulheres descem para cozinhar milho, moer mandioca e colher verduras; os homens, para caçar. Quando um filho nasce, a liberdade lhe é dada quase que imediatamente. É verdade que muitas vezes a criança não usufruirá por muito tempo dessa liberdade entre feras. Mas é verdade que, pelo menos, não se lamentará que, para tão curta vida, longo tenha sido o trabalho. Pois mesmo a linguagem que a criança aprende é breve e simples, apenas essencial. Os Likoualas usam poucos nomes, chamam as coisas por gestos e sons animais. Como avanço espiritual, têm um tambor. Enquanto dançam ao som do tambor, um machado pequeno fica de guarda contra os Bantos, que virão não se sabe de onde.

Foi, pois, assim que o explorador descobriu, toda em pé e a seus pés, a coisa humana menor que existe. Seu coração bateu porque esmeralda nenhuma é tão rara. Nem os ensinamentos dos sábios da Índia são tão raros. Nem o homem mais rico do mundo já pôs olhos sobre tanta estranha graça. Ali estava uma mulher que a gulodice do mais fino sonho jamais pudera imaginar. Foi então que o explorador disse, timidamente e com uma delicadeza de sentimentos de que sua esposa jamais o julgaria capaz:

– Você é Pequena Flor.

Nesse instante Pequena Flor coçou-se onde uma pessoa não se coça. O explorador – como se estivesse recebendo o mais alto prêmio de castidade a que um homem, sempre tão idealista, ousa aspirar – o explorador, tão vivido, desviou os olhos.

A fotografia de Pequena Flor foi publicada no suplemento colorido dos jornais de domingo, onde coube em tamanho natural. Enrolada num pano, com a barriga em estado adiantado. O nariz chato, a cara preta, os olhos fundos, os pés espalmados. Parecia um cachorro.

Nesse domingo, num apartamento, uma mulher, ao olhar no jornal aberto o retrato de Pequena Flor, não quis olhar uma segunda vez "porque me dá aflição".

Em outro apartamento uma senhora teve tal perversa ternura pela pequenez da mulher africana que – sendo tão melhor prevenir que remediar – jamais se deveria deixar Pequena Flor sozinha com a ternura da senhora. Quem sabe a que escuridão de amor pode chegar o carinho. A senhora passou um dia perturbada, dir-se-ia tomada pela saudade. Aliás era primavera, uma bondade perigosa estava no ar.

Em outra casa uma menina de cinco anos de idade, vendo o retrato e ouvindo os comentários, ficou espantada. Naquela casa de adultos, essa menina fora até agora o menor dos seres humanos. E, se isso era fonte das melhores carícias, era também fonte deste primeiro medo do amor tirano. A existência de Pequena Flor levou a menina a sentir – com uma vaguidão que só anos e anos depois, por motivos bem diferentes, havia de se concretizar em pensamento – levou-a a sentir, numa primeira sabedoria, que "a desgraça não tem limites".

Em outra casa, na sagração da primavera, a moça noiva teve um êxtase de piedade:

– Mamãe, olhe o retratinho dela, coitadinha! olhe só como ela é tristinha!

– Mas – disse a mãe, dura e derrotada e orgulhosa – mas é tristeza de bicho, não é tristeza humana.

– Oh! mamãe – disse a moça desanimada.

Foi em outra casa que um menino esperto teve uma ideia esperta:

– Mamãe, e se eu botasse essa mulherzinha africana na cama de Paulinho enquanto ele está dormindo? quando ele acordasse, que susto, hein! que berro, vendo ela sentada na cama! E a gente então brincava tanto com ela! a gente fazia ela o brinquedo da gente, hein!

A mãe dele estava nesse instante enrolando os cabelos em frente ao espelho do banheiro, e lembrou-se do que uma cozinheira lhe contara do tempo de orfanato. Não tendo boneca com que brincar, e a maternidade já pulsando terrível no coração das órfãs, as meninas sabidas haviam escondido da freira a morte de uma das garotas. Guardaram o cadáver num armário até a freira sair, e brincaram com a menina morta, deram-lhe banhos e comidinhas, puseram-na de castigo somente para depois poder beijá-la, consolando-a. Disso a mãe se lembrou no banheiro, e abaixou mãos pensas, cheias de grampos. E considerou a cruel necessidade de amar. Considerou a malignidade de nosso desejo de ser feliz. Considerou a ferocidade com que queremos brincar. E o número de vezes em que mataremos por amor.

Então olhou para o filho esperto como se olhasse para um perigoso estranho. E teve horror da própria alma que, mais que seu corpo, havia engendrado aquele ser apto à vida e à felicidade. Assim olhou ela, com muita atenção e um orgulho inconfortável, aquele menino que já estava sem os dois dentes da frente, a evolução, a evolução se fazendo, dente caindo para nascer o que melhor morde. "Vou comprar um terno novo para ele", resolveu olhando-o absorta. Obstinadamente enfeitava o filho desdentado com roupas finas, obstinadamente queria-o bem limpo, como se limpeza desse ênfase a uma superficialidade tranquilizadora, obstinadamente aperfeiçoando o lado cortês da beleza. Obstinadamente afastando-se, e afastando-o, de alguma coisa que devia ser "escura como um macaco". Então, olhando para o espelho do banheiro, a mãe sorriu intencionalmente fina e polida, colocando, entre aquele seu rosto de linhas abstratas e a cara crua de Pequena Flor, a distância insuperável de milênios. Mas, com anos de prática, sabia que este seria um domingo em que teria de disfarçar de si mesma a ansiedade, o sonho, e milênios perdidos.

Em outra casa, junto a uma parede, deram-se ao trabalho alvoroçado de calcular com fita métrica os quarenta e cinco centímetros de Pequena Flor. E foi aí mesmo que, em delícia, se espantaram: ela era ainda menor que o mais agudo da imaginação inventaria. No coração de cada membro da família nasceu, nostálgico, o desejo de ter para si aquela coisa miúda e indomável, aquela coisa salva de ser comida, aquela fonte permanente de caridade. A alma ávida da família queria devotar-se. E, mesmo, quem já não desejou possuir um ser humano só para si? O que, é verdade, nem sempre seria cômodo, há horas em que não se quer ter sentimentos:

– Aposto que se ela morasse aqui terminava em briga – disse o pai sentado na poltrona, virando definitivamente a página do jornal. – Nesta casa tudo termina em briga.

– Você, José, sempre pessimista – disse a mãe.

– A senhora já pensou, mamãe, de que tamanho será o nenenzinho dela? – disse ardente a filha mais velha de treze anos.

O pai mexeu-se atrás do jornal.

– Deve ser o bebê preto menor do mundo – respondeu a mãe, derretendo-se de gosto. – Imagine só ela servindo a mesa aqui em casa! e de barriguinha grande!

– Chega dessas conversas! – engrolou o pai.

– Você há de convir – disse a mãe inesperadamente ofendida – que se trata de uma coisa rara. Você é que é insensível.

E a própria coisa rara?

Enquanto isso, na África, a própria coisa rara tinha no coração – quem sabe se negro também, pois numa Natureza que errou uma vez já não se pode mais confiar – enquanto isso a própria coisa rara tinha no coração algo mais raro ainda, assim como o segredo do próprio segredo: um filho mínimo. Metodicamente o explorador examinou com o olhar a barriguinha do menor ser humano maduro. Foi neste instante que o explorador, pela primeira vez desde que a conhecera, em vez de sentir curiosidade ou exaltação ou vitória ou espírito científico, o explorador sentiu mal-estar.

É que a menor mulher do mundo estava rindo.

Estava rindo, quente, quente. Pequena Flor estava gozando a vida. A própria coisa rara estava tendo a inefável sensação de ainda não ter sido comida. Não ter sido comida era algo que, em outras horas, lhe dava o ágil impulso de pular de galho em galho. Mas, neste momento de tranquilidade, entre as espessas folhas do Congo Central, ela não estava aplicando esse impulso numa ação – e o impulso se concentrara todo na própria pequenez da própria coisa rara. E então ela estava rindo. Era um riso como somente quem não fala, ri. Esse riso, o explorador constrangido não conseguiu classificar. E ela continuou fruindo o próprio riso macio, ela que não estava sendo devorada. Não ser devorado é o sentimento mais perfeito. Não ser devorado é o objetivo secreto de toda uma vida. Enquanto ela não estava sendo comida, seu riso bestial era tão delicado como é delicada a alegria. O explorador estava atrapalhado.

Em segundo lugar, se a própria coisa rara estava rindo, era porque, dentro de sua pequenez, grande escuridão pusera-se em movimento.

É que a própria coisa rara sentia o peito morno do que se pode chamar de Amor. Ela amava aquele explorador amarelo. Se soubesse falar e dissesse que o amava, ele inflaria de vaidade. Vaidade que diminuiria quando ela acrescentasse que também amava muito o anel do explorador e que amava muito a bota do explorador. E quando este desinchasse desapontado, Pequena Flor não compreenderia por quê. Pois, nem de longe, seu amor pelo explorador – pode-se mesmo dizer seu "profundo amor", porque, não tendo outros recursos, ela estava reduzida à profundeza – pois nem de longe seu profundo amor pelo explorador ficaria desvalorizado pelo fato de ela também amar sua bota. Há um velho equívoco sobre a palavra amor, e, se muitos filhos nascem desse equívoco, tantos outros perderam o único instante de nascer apenas por causa de uma suscetibilidade que exige que seja de mim, de mim! que se goste, e não de meu dinheiro. Mas na umidade da floresta não há desses refinamentos cruéis, e amor é não ser comido, amor é achar bonita uma bota, amor é gostar da cor rara de um homem que não é negro, amor é rir de amor a um anel que brilha. Pequena Flor piscava de amor, e riu quente, pequena, grávida, quente.

O explorador tentou sorrir-lhe de volta, sem saber exatamente a que abismo seu sorriso respondia, e então perturbou-se como só homem de tamanho grande se perturba.

Disfarçou ajeitando melhor o chapéu de explorador, corou pudico. Tornou-se uma cor linda, a sua, de um rosa esverdeado, como a de um limão de madrugada. Ele devia ser azedo.

Foi provavelmente ao ajeitar o capacete simbólico que o explorador se chamou à ordem, recuperou com severidade a disciplina de trabalho, e recomeçou a anotar. Aprendera a entender algumas das poucas palavras articuladas da tribo, e a interpretar os sinais. Já conseguia fazer perguntas.

Pequena Flor respondeu-lhe que "sim". Que era muito bom ter uma árvore para morar, sua, sua mesmo. Pois – e isso ela não disse, mas seus olhos se tornaram tão escuros que o disseram – pois é bom possuir, é bom possuir, é bom possuir. O explorador pestanejou várias vezes.

Marcel Pretre teve vários momentos difíceis consigo mesmo. Mas pelo menos ocupou-se em tomar notas e notas. Quem não tomou notas é que teve de se arranjar como pôde:

– Pois olhe – declarou de repente uma velha fechando o jornal com decisão – pois olhe, eu só lhe digo uma coisa: Deus sabe o que faz.

O JANTAR

Ele entrou tarde no restaurante. Certamente ocupara-se até agora em grandes negócios. Poderia ter uns sessenta anos, era alto, corpulento, de cabelos brancos, sobrancelhas espessas e mãos potentes. Num dedo o anel de sua força. Sentou-se amplo e sólido.

Perdi-o de vista e enquanto comia observei de novo a mulher magra de chapéu. Ela ria com a boca cheia e rebrilhava os olhos escuros.

No momento em que eu levava o garfo à boca, olhei-o. Ei-lo de olhos fechados mastigando pão com vigor e mecanismo, os dois punhos cerrados sobre a mesa. Continuei comendo e olhando. O garçom dispunha os pratos sobre a toalha. Mas o velho mantinha os olhos fechados. A um gesto mais vivo do criado ele os abriu com tal brusquidão que este mesmo movimento se comunicou às grandes mãos e um garfo caiu. O garçom sussurrou palavras amáveis abaixando-se para apanhá-lo; ele não respondia. Porque agora desperto, virava subitamente a carne de um lado e de outro, examinava-a com veemência, a ponta da língua aparecendo – apalpava o bife com as costas do garfo, quase o cheirava, mexendo a boca de antemão. E começava a cortá-lo com um movimento inútil de vigor de todo o corpo. Em breve levava um pedaço a certa altura do rosto e, como se tivesse que apanhá-lo em voo, abocanhou-o num arrebatamento de cabeça. Olhei para o meu prato. Quando fitei-o de novo, ele estava em plena glória do jantar, mastigando de boca aberta, passando a língua pelos dentes, com o olhar fixo na luz do teto. Eu já ia cortar a carne de novo, quando o vi parar inteiramente.

E exatamente como se não suportasse mais – o quê? – pega rápido no guardanapo e comprime as órbitas dos olhos com as mãos cabeludas. Parei em guarda. Seu corpo respirava com dificuldade, crescia. Tira afinal o guardanapo da vista e olha entorpecido de muito longe. Respira abrindo e fechando desmesuradamente as pálpebras, limpa os olhos com cuidado e mastiga devagar o resto de comida ainda na boca.

Daqui a um segundo, porém, está refeito e duro, apanha uma garfada de salada com o corpo todo e come inclinado, o queixo ativo, o azeite umedecendo os lábios. Interrompe-se um instante, enxuga de novo os olhos, balança brevemente a cabeça – e nova garfada de alface com carne é apanhada no ar. Diz ao garçom que passa:

– Não é este o vinho que mandei trazer.

A voz que esperava dele: voz sem réplicas possíveis pela qual eu via que jamais se poderia fazer alguma coisa por ele. Senão obedecê-lo.

O garçom se afastou cortês com a garrafa na mão.

Mas eis que o velho se imobiliza de novo como se tivesse o peito contraído e barrado. Sua violenta potência sacode-se presa. Ele espera. Até que a fome parece assaltá-lo e ele recomeça a mastigar com apetite, de sobrancelhas franzidas. Eu é que já comia devagar, um pouco nauseado sem saber por quê, participando também não sabia de quê. De repente ei-lo a estremecer todo, levando o guardanapo aos olhos e apertando-os numa brutalidade que me enleva... Abandono com certa decisão o garfo no prato, eu próprio com um aperto insuportável na garganta, furioso, quebrado em submissão. Mas o velho demora pouco com o guardanapo nos olhos. Desta vez, quando o tira sem pressa, as pupilas estão extremamente doces e cansadas, e antes dele enxugar-se – eu vi. Vi a lágrima.

Inclino-me sobre a carne, perdido. Quando finalmente consigo encará-lo do fundo de meu rosto pálido, vejo que também ele se inclinou com os cotovelos apoiados sobre a mesa, a cabeça entre as mãos. E exatamente ele não suportava mais. As sobrancelhas grossas estavam juntas. A comida devia ter parado pouco abaixo da garganta sob a dureza da emoção, pois quando ele pôde continuar fez um gesto terrível de esforço para engolir e passou o guardanapo pela testa. Eu não podia mais, a carne no meu prato era crua, eu é que não podia mais. Porém ele – ele comia.

O garçom trouxe a garrafa dentro de uma vasilha de gelo. Eu anotava tudo, já sem discriminar: a garrafa era outra, o criado de casaca, a luz aureolava a cabeça robusta de Plutão que se movia agora com curiosidade, guloso e atento. Por um instante o garçom cobre minha visão do velho e vejo apenas as asas negras duma casaca: sobrevoando a mesa, vertia vinho vermelho na taça e aguardava de olhos quentes – porque lá estava seguramente um senhor de boas gorjetas, um desses velhos que ainda estão no centro do mundo e da força. O velho engrandecido tomou um gole com segurança, largou a taça e consultou com amargura o sabor na boca. Batia um lábio no outro, estalava a língua com desgosto como se o que era bom fosse intolerável. Eu esperava, o garçom esperava, ambos nos inclinávamos suspensos. Afinal, ele fez uma careta de aprovação. O criado curvou a cabeça luzente com sujeição ao agradecimento, saiu inclinado, e eu respirava com alívio.

Ele agora misturava à carne os goles de vinho na grande boca e os dentes postiços mastigavam pesados enquanto eu o espreitava em vão. Nada mais acontecia. O restaurante parecia irradiar-se com dupla força sob o tilintar dos vidros e talheres; na dura coroa brilhante da sala os murmúrios cresciam e se apaziguavam em vaga doce, a mulher do chapéu grande sorria de olhos entrefechados, tão magra e bela, o garçom derramava com lentidão o vinho no copo. Mas eis que ele faz um gesto.

Com a mão pesada e cabeluda, onde na palma as linhas eram cravadas com tal fatalidade, faz um gesto de pensamento. Diz com a mímica o mais que pode, e eu, eu não compreendo. E como se não suportasse mais – larga o garfo no prato. Desta vez foste bem agarrado, velho. Fica respirando, acabado, ruidoso. Pega então no copo de vinho e bebe de olhos fechados, em rumorosa ressurreição. Meus olhos ardem e a claridade é alta, persistente. Estou tomado pelo êxtase arfante da náusea. Tudo me parece grande e perigoso. A mulher magra cada vez mais bela estremece séria entre as luzes.

Ele terminou. Sua cara se esvazia de expressão. Fecha os olhos, distende os maxilares. Procuro aproveitar este momento, em que ele não possui mais o próprio rosto, para ver afinal. Mas é inútil. A grande aparência que vejo é desconhecida, majestosa, cruel e cega. O que eu quero olhar diretamente, pela força extraordinária do ancião, não existe neste instante. Ele não quer.

Vem a sobremesa, um creme derretido, e eu me surpreendo pela decadência da escolha. Ele come devagar, tira uma colherada e espia o líquido pastoso escorrer. Ingere tudo, porém, faz uma careta e, crescido, alimentado, afasta o prato. Então, já sem fome, o grande cavalo apoia a cabeça na mão. O primeiro sinal mais claro aparece. O velho comedor de crianças pensa nas suas profundezas. Com palidez vejo-o levar o guardanapo à boca. Imagino ouvir um soluço. Ambos permanecemos em silêncio no centro do salão. Talvez ele tivesse comido depressa demais. Porque, apesar de tudo, não perdeste a fome, hein!, instigava-o eu com ironia, cólera e exaustão. Mas ele se desmoronava a olhos vistos. Os traços agora caídos e dementes, ele balançava a cabeça de um lado para outro, de um lado para outro sem se conter mais, com a boca apertada, os olhos cerrados, embalando-se – o patriarca estava chorando por dentro. A ira me asfixiava. Vi-o botar os óculos e ficar mais velho muitos anos. Enquanto contava o troco, batia os dentes projetando o queixo para a frente, entregando-se um instante à doçura da velhice. Eu mesmo, tão atento estivera a ele, que não o vira tirar o dinheiro para pagar, nem examinar a conta, e não notara a volta do garçom com o troco.

Afinal tirou os óculos, bateu os dentes, enxugou os olhos fazendo caretas inúteis e penosas. Passou a mão quadrada pelos cabelos brancos, alisando-os com poder. Levantou-se segurando o bordo da mesa com as mãos vigorosas. E eis que, depois de liberto de um apoio, ele parece mais fraco, embora ainda enorme e ainda capaz de apunhalar qualquer um de nós. Sem que eu possa fazer nada, põe o chapéu acariciando a gravata ao espelho. Atravessa o aspecto luminoso do salão, desaparece.

Mas eu sou um homem ainda.

Quando me traíram ou assassinaram, quando alguém foi embora para sempre, ou perdi o que de melhor me restava, ou quando soube que vou morrer – eu não como. Não sou ainda esta potência, esta construção, esta ruína. Empurro o prato, rejeito a carne e seu sangue.

PRECIOSIDADE

(PARA MAFALDA)

e manhã cedo era sempre a mesma coisa renovada: acordar. O que era vagaroso, desdobrado, vasto. Vastamente ela abria os olhos.

Tinha quinze anos e não era bonita. Mas por dentro da magreza, a vastidão quase majestosa em que se movia como dentro de uma meditação. E dentro da nebulosidade algo precioso. Que não se espreguiçava, não se comprometia, não se contaminava. Que era intenso como uma joia. Ela.

Acordava antes de todos, pois para ir à escola teria que pegar um ônibus e um bonde, o que lhe tomaria uma hora. O que lhe daria uma hora. De devaneio agudo como um crime. O vento da manhã violentando a janela e o rosto até que os lábios ficavam duros, gelados. Então ela sorria. Como se sorrir fosse em si um objetivo. Tudo isso aconteceria se tivesse a sorte de "ninguém olhar para ela".

Quando de madrugada se levantava – passado o instante de vastidão em que se desenrolava toda – vestia-se correndo, mentia para si mesma que não havia tempo de tomar banho, e a família adormecida jamais adivinhara quão poucos ela tomava. Sob a luz acesa da sala de jantar, engolia o café que a empregada, se coçando no escuro da cozinha, requentara. Mal tocava no pão que a manteiga não amolecia. Com a boca fresca de jejum, os livros embaixo do braço, abria enfim a porta, transpunha a mornidão insossa da casa, galgando-se para a gélida fruição da manhã. Então já não se apressava mais.

Tinha que atravessar a longa rua deserta até alcançar a avenida, do fim da qual um ônibus emergiria cambaleando dentro da névoa, com as luzes da noite ainda acesas no farol. Ao vento de junho, o ato misterioso, autoritário e perfeito era erguer o braço – e já de longe o ônibus trêmulo começava a se deformar obedecendo à arrogância de seu corpo, representante de um poder supremo, de longe o ônibus começava a tornar-se incerto e vagaroso, vagaroso e avançando, cada vez mais concreto – até estacar no seu rosto em fumaça e calor, em calor e fumaça. Então subia, séria como uma missionária por causa dos operários no ônibus que "poderiam lhe dizer alguma coisa". Aqueles homens que não eram mais rapazes. Mas também de rapazes tinha medo, medo também de meninos. Medo que lhe "dissessem alguma coisa", que a olhassem muito. Na gravidade da boca fechada havia a grande súplica: respeitassem-na. Mais que isso. Como se tivesse prestado voto, era obrigada a ser venerada, e, enquanto por dentro o coração batia de medo, também ela se venerava, ela, a depositária de um ritmo. Se a olhavam, ficava rígida e dolorosa. O que a poupava é que os homens não a viam. Embora alguma coisa nela, à medida que dezesseis anos se aproximava em fumaça e calor, alguma coisa estivesse intensamente surpreendida – e isso surpreendesse alguns homens. Como se alguém lhes tivesse tocado no ombro. Uma sombra talvez. No chão a enorme sombra de moça sem homem, cristalizável elemento incerto que fazia parte da monótona geometria das grandes cerimônias públicas. Como se lhes tivessem tocado no ombro. Eles olhavam e não a viam. Ela fazia mais sombra do que existia.

No ônibus, os operários eram silenciosos com a marmita na mão, o sono ainda no rosto. Ela sentia vergonha de não confiar neles, que eram cansados. Mas até que os esquecesse, o desconforto. É que eles "sabiam". E como também ela sabia, então o desconforto. Todos sabiam o mesmo. Também seu pai sabia. Um velho pedindo esmola sabia. A riqueza distribuída, e o silêncio.

Depois, com andar de soldado, atravessava – incólume – o Largo da Lapa, onde era dia. A essa altura a batalha estava quase ganha. Escolhia no bonde um banco se possível vazio ou, se tivesse sorte, sentava-se ao lado de alguma asseguradora mulher com uma trouxa de roupa no colo, por exemplo – e era a primeira trégua. Ainda teria de enfrentar na escola o longo corredor onde os colegas estariam de pé conversando, e onde os tacos de seus sapatos faziam um ruído que as pernas tensas não podiam conter como se ela quisesse inutilmente fazer parar de bater um coração, sapatos com dança própria. Fazia-se um vago silêncio entre os rapazes que talvez sentissem, sob o seu disfarce, que ela era uma das devotas. Passava entre as alas dos colegas crescendo, e eles não sabiam o que pensar nem como comentá-la. Era feio o ruído de seus sapatos. Rompia o próprio segredo com tacos de madeira. Se o corredor demorasse um pouco mais, ela como que esqueceria seu destino e correria com as mãos tapando os ouvidos. Só tinha sapatos duráveis. Como se fossem ainda os mesmos que em solenidade lhe haviam calçado quando nascera. Atravessava o corredor interminável como a um silêncio de trincheira, e no seu rosto havia algo tão feroz – e soberbo também, por causa de sua sombra – que ninguém lhe dizia nada. Proibitiva, ela os impedia de pensar.

Até que, enfim, a classe de aula. Onde de repente tudo se tornava sem importância e mais rápido e leve, onde seu rosto tinha algumas sardas, os cabelos caíam nos olhos, e onde ela era tratada como um rapaz. Onde era inteligente. A astuciosa profissão. Parecia ter estudado em casa. Sua curiosidade informava-lhe mais que respostas. Adivinhava, sentindo na boca o gosto cítrico das dores heroicas, adivinhava a repulsão fascinada que sua cabeça pensante criava nos colegas, que, de novo, não sabiam como comentá-la. Cada vez mais a grande fingida se tornava inteligente. Aprendera a pensar. O sacrifício necessário: assim "ninguém tinha coragem".

Às vezes, enquanto o professor falava, ela, intensa, nebulosa, fazia riscos simétricos no caderno. Se um risco, que tinha que ser ao mesmo tempo forte e delicado, saía fora do círculo imaginário em que deveria caber, tudo desabaria: ela se concentrava ausente, guiada pela avidez do ideal. Às vezes, em vez de riscos, desenhava estrelas, estrelas, estrelas, estrelas, tantas e tão altas que desse trabalho anunciador saía exausta, erguendo uma cabeça mal acordada.

A volta para casa era tão cheia de fome que a impaciência e o ódio roíam seu coração. Na volta parecia outra cidade: no Largo da Lapa centenas de pessoas reverberadas pela fome pareciam ter esquecido e, se lhes lembrassem, arreganhariam dentes. O sol delineava cada homem com carvão preto. Sua própria sombra era uma estaca negra. Nesta hora em que o cuidado tinha que ser maior, ela era protegida pela espécie de feiura que a fome acentuava, seus traços escurecidos pela adrenalina que escurecia a carne dos animais de caça. Na casa vazia, toda a família na repartição, gritava com a empregada que nem sequer lhe respondia. Comia como um centauro. A cara perto do prato, os cabelos quase na comida.

– Magrinha, mas como devora, dizia a empregada esperta.

– Pro diabo, gritava-lhe sombria.

Na casa vazia, sozinha com a empregada, já não andava como um soldado, já não precisava tomar cuidado. Mas sentia falta da batalha das ruas. Melancolia da liberdade, com o horizonte ainda tão longe. Dera-se ao horizonte. Mas a nostalgia do presente. O aprendizado da paciência, o juramento da espera. Do qual talvez não soubesse jamais se livrar. A tarde transformando-se em interminável e, até todos voltarem para o jantar e ela poder se tornar com alívio uma filha, era o calor, o livro aberto e depois fechado, uma intuição, o calor: sentava-se com a cabeça entre as mãos, desesperada. Quando tinha dez anos, relembrou, um menino que a amava jogara-lhe um rato morto. Porcaria! berrara branca com a ofensa. Fora uma experiência. Jamais contara a ninguém. Com a cabeça entre as mãos, sentada. Dizia quinze vezes: sou vigorosa, sou vigorosa, sou vigorosa – depois percebia que apenas prestara atenção à contagem. Suprindo com a quantidade, disse mais uma vez: sou vigorosa, dezesseis. E já não estava mais à mercê de ninguém. Desesperada porque, vigorosa, livre, não estava mais à mercê. Perdera a fé. Foi conversar com a empregada, antiga sacerdotisa. Elas se reconheciam. As duas descalças, de pé na cozinha, a fumaça do fogão. Perdera a fé, mas, à beira da graça, procurava na empregada apenas o que esta já perdera, não o que ganhara. Fazia-se pois distraída e, conversando, evitava a conversa. "Ela imagina que na minha idade devo saber mais do que sei e é capaz de me ensinar alguma coisa", pensou, a cabeça entre as mãos, defendendo a ignorância como a um corpo. Faltavam-lhe elementos, mas não os queria de quem já os esquecera. A grande espera fazia parte. Dentro da vastidão, maquinando.

Tudo isso, sim. Longo, cansado, a exasperação. Mas na madrugada seguinte, como uma avestruz lenta se abre, ela acordava. Acordou no mesmo mistério intacto, abrindo os olhos ela era a princesa do mistério intacto.

Como se a fábrica já tivesse apitado, vestiu-se correndo, bebeu de um sorvo o café. Abriu a porta de casa.

E então já não se apressou mais. A grande imolação das ruas. Sonsa, atenta, mulher de apache. Parte do rude ritmo de um ritual.

Era uma manhã ainda mais fria e escura que as outras, ela estremeceu no suéter. A branca nebulosidade deixava o fim da rua invisível. Tudo estava algodoado, não se ouviu sequer o ruído de algum ônibus que passasse pela avenida. Foi andando para o imprevisível da rua. As casas dormiam nas portas fechadas. Os jardins endurecidos de frio. No ar escuro, mais que no céu, no meio da rua uma estrela. Uma grande estrela de gelo que não voltara ainda, incerta no ar, úmida, informe. Surpreendida no seu atraso, arredondava-se na hesitação. Ela olhou a estrela próxima. Caminhava sozinha na cidade bombardeada.

Não, ela não estava sozinha. Com os olhos franzidos pela incredulidade no fim longínquo de sua rua, de dentro do vapor, viu dois homens. Dois rapazes vindo. Olhou ao redor como se pudesse ter errado de rua ou de cidade. Mas errara os minutos: saíra de casa antes que a estrela e dois homens tivessem tempo de sumir. Seu coração se espantou.

O primeiro impulso, diante de seu erro, foi o de refazer para trás os passos dados e entrar em casa até que eles passassem: "Eles vão olhar para mim, eu sei, não há mais ninguém para eles olharem e eles vão me olhar muito!"

Mas como voltar e fugir, se nascera para a dificuldade. Se toda a sua lenta preparação tinha o destino ignorado a que ela, por culto, tinha que aderir. Como recuar, e depois nunca mais esquecer a vergonha de ter esperado em miséria atrás de uma porta?

E mesmo talvez não houvesse perigo. Eles não teriam coragem de dizer nada porque ela passaria com o andar duro, de boca fechada, no seu ritmo espanhol.

De pernas heroicas, continuou a andar. Cada vez que se aproximava, eles que também se aproximavam – então todos se aproximavam, a rua ficou cada vez um pouco mais curta. Os sapatos dos dois rapazes misturavam-se ao ruído de seus próprios sapatos, era ruim ouvir. Era insistente ouvir. Os sapatos eram ocos ou a calçada era oca. A pedra do chão avisava. Tudo era eco e ela ouvia, sem poder impedir, o silêncio do cerco comunicando-se pelas ruas do bairro, e via, sem poder impedir, que as portas mais fechadas haviam ficado. Mesmo a estrela retirara-se. Na nova palidez da escuridão, a rua entregue aos três. Ela andava, ouvia os homens, já que não poderia olhá-los e já que precisava sabê-los. Ela os ouvia e surpreendia-se com a própria coragem em continuar. Mas não era coragem. Era o dom. E a grande vocação para um destino. Ela avançava, sofrendo em obedecer. Se conseguisse pensar em outra coisa não ouviria os sapatos. Nem o que eles pudessem dizer. Nem o silêncio com que cruzariam.

Com brusca rigidez olhou-os. Quando menos esperava, traindo o voto de segredo, viu-os rápida. Eles sorriam? Não, estavam sérios.

Não deveria ter visto. Porque, vendo, ela por um instante arriscava-se a tornar-se individual, e também eles. Era do que parecia ter sido avisada: enquanto executasse um mundo clássico, enquanto fosse impessoal, seria filha dos deuses, e assistida pelo que tem que ser feito. Mas, tendo visto o que olhos, ao verem, diminuem, arriscara--se a ser um ela-mesma que a tradição não amparava. Por um instante hesitou toda, perdida de um rumo. Mas era tarde demais para recuar. Só não seria tarde demais se corresse. Mas correr seria como errar todos os passos, e perder o ritmo que ainda a sustentava, o ritmo que era o seu único talismã, o que lhe fora entregue à orla do mundo onde era para ser sozinha – à orla do mundo onde se tinham apagado todas as lembranças, e como incompreensível lembrete restara o cego talismã, ritmo que era de seu destino copiar, executando-o para a consumação do mundo. Não a própria. Se ela corresse, a ordem se alteraria. E nunca lhe seria perdoado o pior: a pressa. E mesmo quando se foge correm atrás, são coisas que se sabem.

Rígida, catequista, sem alterar por um segundo a lentidão com que avançava, ela avançava. "Eles vão olhar para mim, eu sei!" Mas tentava, por instinto de uma vida anterior, não lhes transmitir susto. Adivinhava o que o medo desencadeia. Ia ser rápido, sem dor. Só por uma fração de segundo se cruzariam, rápido, instantâneo, por causa da vantagem a seu favor dela estar em movimento e deles virem em movimento contrário, o que faria com que o instante se reduzisse ao essencial necessário – à queda do primeiro dos sete mistérios que tão secretos eram que deles ficara apenas uma sabedoria: o número sete. Fazei com que eles não digam nada, fazei com que eles só pensem, pensar eu deixo. Ia ser rápido, e um segundo depois da transposição ela diria maravilhada, galgando-se para outras e outras ruas: quase não doeu. Mas o que se seguiu não teve explicação.

O que se seguiu foram quatro mãos difíceis, foram quatro mãos que não sabiam o que queriam, quatro mãos erradas de quem não tinha a vocação, quatro mãos que a tocaram tão inesperadamente que ela fez a coisa mais certa que poderia ter feito no mundo dos movimentos: ficou paralisada. Eles, cujo papel predeterminado era apenas o de passar junto do escuro de seu medo, e então o primeiro dos sete mistérios cairia; eles que representariam apenas o horizonte de um só passo aproximado, eles não compreenderam a função que tinham e, com a individualidade dos que têm medo, haviam atacado. Foi menos de uma fração de segundo na rua tranquila. Numa fração de segundo a tocaram como se a eles coubessem todos os sete mistérios. Que ela conservou todos, e mais larva se tornou, e mais sete anos de atraso.

Ela não os olhou porque sua cara ficou voltada com serenidade para o nada.

Mas pela pressa com que a magoaram soube que eles tinham mais medo do que ela. Tão assustados que já não estavam mais ali. Corriam. "Tinham medo que ela gritasse e as portas das casas uma por uma se abrissem", raciocinou, eles não sabiam que não se grita.

Ficou de pé, ouvindo com tranquila loucura os sapatos deles em fuga. A calçada era oca ou os sapatos eram ocos ou ela própria era oca. No oco dos sapatos deles ouvia atenta o medo dos dois. O som batia nítido nas lajes como se batessem à porta sem parar e ela esperasse que desistissem. Tão nítido na nudez da pedra que o sapateado não parecia distanciar-se: era ali a seus pés, como um sapateado de vitória. De pé, ela não tinha por onde se sustentar senão pelos ouvidos.

A sonoridade não esmorecia, o afastamento era-lhe transmitido por um apressado cada vez mais preciso de tacos. Os tacos não ecoavam mais na pedra, ecoavam no ar como castanholas cada vez mais delicadas. Depois percebeu que há muito não ouvia nenhum som.

E, trazidos de volta pela brisa, o silêncio e uma rua vazia.

Até esse instante mantivera-se quieta, de pé no meio da calçada. Então, como se houvesse várias etapas da mesma imobilidade, ficou parada. Daí a pouco suspirou. E em nova etapa, manteve-se parada. Depois mexeu a cabeça, e então ficou mais profundamente parada.

Depois recuou devagar até um muro, corcunda, bem devagar, como se tivesse um braço quebrado, até que se encostou toda no muro, onde ficou inscrita. E então manteve-se parada. Não se mover é o que importa, pensou de longe, não se mover. Depois de um tempo, provavelmente ter-se-ia dito assim: agora mova um pouco as pernas mas bem devagar. Porque, bem devagar, moveu as pernas. Depois do que, suspirou e ficou quieta olhando. Ainda estava escuro.

Depois amanheceu.

Devagar reuniu os livros espalhados pelo chão. Mais adiante estava o caderno aberto. Quando se abaixou para recolhê-lo, viu a letra redonda e graúda que até esta manhã fora sua.

Então saiu. Sem saber com que enchera o tempo, senão com passos e passos, chegou à escola com mais de duas horas de atraso. Como não tinha pensado em nada, não sabia que o tempo decorrera. Pela presença do professor de Latim constatou com uma surpresa polida que na classe já haviam começado a terceira hora.

– Que foi que te aconteceu? sussurrou a menina da carteira ao lado.

– Por quê?

– Você está branca. Está sentindo alguma coisa?

– Não, disse tão claro que vários colegas olharam-na. Levantou-se e disse bem alto:

– Dá licença!

Foi para o lavatório. Onde, diante do grande silêncio dos ladrilhos, gritou aguda, supersônica: Estou sozinha no mundo! Nunca ninguém vai me ajudar, nunca ninguém vai me amar! Estou sozinha no mundo!

Estava ali perdendo também a terceira aula, no longo banco do lavatório, em frente a várias pias. "Não faz mal, depois copio os pontos, peço emprestado os cadernos para copiar em casa – estou sozinha no mundo!", interrompeu-se batendo várias vezes a mão fechada no banco. O ruído dos quatro sapatos de repente começou como uma chuva miúda e rápida. Ruído cego, nada se refletiu nos ladrilhos brilhantes. Só a nitidez de cada sapato que não se emaranhou nenhuma vez com outro sapato. Como nozes caindo. Era só esperar como se espera que parem de bater à porta. Então pararam.

Quando foi molhar os cabelos diante do espelho, ela era tão feia.

Ela possuía tão pouco, e eles haviam tocado.

Ela era tão feia e preciosa.

Estava pálida, os traços afinados. As mãos, umedecendo os cabelos, sujas de tinta ainda do dia anterior. "Preciso cuidar mais de mim", pensou. Não sabia como. A verdade é que cada vez sabia menos como. A expressão do nariz era a de um focinho apontando na cerca.

Voltou ao banco e ficou quieta, com um focinho. "Uma pessoa não é nada." "Não", retrucou-se em mole protesto, "não diga isso", pensou com bondade e melancolia. "Uma pessoa é alguma coisa", disse por gentileza.

Mas no jantar a vida tomou um senso imediato e histérico:

– Preciso de sapatos novos! os meus fazem muito barulho, uma mulher não pode andar com salto de madeira, chama muita atenção! Ninguém me dá nada! Ninguém me dá nada! – e estava tão frenética e estertorada que ninguém teve coragem de lhe dizer que não os ganharia. Só disseram:

– Você não é uma mulher e todo salto é de madeira.

Até que, assim como uma pessoa engorda, ela deixou, sem saber por que processo, de ser preciosa. Há uma obscura lei que faz com que se proteja o ovo até que nasça o pinto, pássaro de fogo.

E ela ganhou os sapatos novos.

OS LAÇOS DE FAMÍLIA

A mulher e a mãe acomodaram-se finalmente no táxi que as levaria à Estação. A mãe contava e recontava as duas malas tentando convencer-se de que ambas estavam no carro. A filha, com seus olhos escuros, a que um ligeiro estrabismo dava um contínuo brilho de zombaria e frieza – assistia.

– Não esqueci de nada? perguntava pela terceira vez a mãe.

– Não, não, não esqueceu de nada, respondia a filha divertida, com paciência.

Ainda estava sob a impressão da cena meio cômica entre sua mãe e seu marido, na hora da despedida. Durante as duas semanas da visita da velha, os dois mal se haviam suportado; os bons-dias e as boas-tardes soavam a cada momento com uma delicadeza cautelosa que a fazia querer rir. Mas eis que na hora da despedida, antes de entrarem no táxi, a mãe se transformara em sogra exemplar e o marido se tornara o bom genro. "Perdoe alguma palavra maldita", dissera a velha senhora, e Catarina, com alguma alegria, vira Antônio não saber o que fazer das malas nas mãos, a gaguejar – perturbado em ser o bom genro. "Se eu rio, eles pensam que estou louca", pensara Catarina franzindo as sobrancelhas. "Quem casa um filho perde um filho, quem casa uma filha ganha mais um", acrescentara a mãe, e Antônio aproveitara sua gripe para tossir. Catarina, de pé, observava com malícia o marido, cuja segurança se desvanecera para dar lugar a um homem moreno e miúdo, forçado a ser filho daquela mulherzinha grisalha... Foi então que a vontade de rir tornou-se mais forte. Felizmente nunca precisava rir de fato quando tinha vontade de rir: seus olhos tomavam uma expressão esperta e contida, tornavam-se mais estrábicos – e o riso saía pelos olhos. Sempre doía um pouco ser capaz de rir. Mas nada podia fazer contra: desde pequena rira pelos olhos, desde sempre fora estrábica.

– Continuo a dizer que o menino está magro, disse a mãe resistindo aos solavancos do carro. E apesar de Antônio não estar presente, ela usava o mesmo tom de desafio e acusação que empregava diante dele. Tanto que uma noite Antônio se agitara: não é por culpa minha, Severina! Ele chamava a sogra de Severina, pois antes do casamento projetava serem sogra e genro modernos. Logo à primeira visita da mãe ao casal, a palavra Severina tornara-se difícil na boca do marido, e agora, então, o fato de chamá-la pelo nome não impedira que... – Catarina olhava-os e ria.

– O menino sempre foi magro, mamãe, respondeu-lhe.

O táxi avançava monótono.

– Magro e nervoso, acrescentou a senhora com decisão.

– Magro e nervoso, assentiu Catarina paciente.

Era um menino nervoso, distraído. Durante a visita da avó tornara-se ainda mais distante, dormira mal, perturbado pelos carinhos excessivos e pelos beliscões de amor da velha. Antônio, que nunca se preocupara especialmente com a sensibilidade do filho, passara a dar indiretas à sogra, “a proteger uma criança”...

– Não esqueci de nada..., recomeçou a mãe, quando uma freada súbita do carro lançou-as uma contra a outra e fez despencarem as malas. – Ah! ah! – exclamou a mãe como a um desastre irremediável, ah! dizia balançando a cabeça em surpresa, de repente envelhecida e pobre. E Catarina?

Catarina olhava a mãe, e a mãe olhava a filha, e também a Catarina acontecera um desastre? seus olhos piscaram surpreendidos, ela ajeitava depressa as malas, a bolsa, procurando o mais rapidamente possível remediar a catástrofe. Porque de fato sucedera alguma coisa, seria inútil esconder: Catarina fora lançada contra Severina, numa intimidade de corpo há muito esquecida, vinda do tempo em que se tem pai e mãe. Apesar de que nunca se haviam realmente abraçado ou beijado. Do pai, sim. Catarina sempre fora mais amiga. Quando a mãe enchia-lhes os pratos obrigando-os a comer demais, os dois se olhavam piscando em cumplicidade e a mãe nem notava. Mas depois do choque no táxi e depois de se ajeitarem, não tinham o que falar – por que não chegavam logo à Estação?

– Não esqueci de nada, perguntou a mãe com voz resignada.

Catarina não queria mais fitá-la nem responder-lhe.

– Tome suas luvas! disse-lhe, recolhendo-as do chão.

– Ah! ah! minhas luvas! exclamava a mãe perplexa.

Só se espiaram realmente quando as malas foram dispostas no trem, depois de trocados os beijos: a cabeça da mãe apareceu na janela.

Catarina viu então que sua mãe estava envelhecida e tinha os olhos brilhantes.

O trem não partia e ambas esperavam sem ter o que dizer. A mãe tirou o espelho da bolsa e examinou-se no seu chapéu novo, comprado no mesmo chapeleiro da filha.

Olhava-se compondo um ar excessivamente severo onde não faltava alguma admiração por si mesma. A filha observava divertida. Ninguém mais pode te amar senão eu, pensou a mulher rindo pelos olhos; e o peso da responsabilidade deu-lhe à boca um gosto de sangue. Como se "mãe e filha" fossem vida e repugnância. Não, não se podia dizer que amava sua mãe. Sua mãe lhe doía, era isso. A velha guardara o espelho na bolsa, e fitava-a sorrindo. O rosto usado e ainda bem esperto parecia esforçar-se por dar aos outros alguma impressão, da qual o chapéu faria parte. A campainha da Estação tocou de súbito, houve um movimento geral de ansiedade, várias pessoas correram pensando que o trem já partia: mamãe! disse a mulher. Catarina! disse a velha. Ambas se olhavam espantadas, a mala na cabeça de um carregador interrompeu-lhes a visão e um rapaz correndo segurou de passagem o braço de Catarina, deslocando-lhe a gola do vestido. Quando puderam ver-se de novo, Catarina estava sob a iminência de lhe perguntar se não esquecera de nada...

– ... não esqueci de nada? perguntou a mãe.

Também a Catarina parecia que haviam esquecido de alguma coisa, e ambas se olhavam atônitas – porque se realmente haviam esquecido, agora era tarde demais. Uma mulher arrastava uma criança, a criança chorava, novamente a campainha da Estação soou... Mamãe, disse a mulher. Que coisa tinham esquecido de dizer uma a outra? e agora era tarde demais. Parecia-lhe que deveriam um dia ter dito assim: sou tua mãe, Catarina. E ela deveria ter respondido: e eu sou tua filha.

– Não vá pegar corrente de ar! gritou Catarina.

– Ora menina, sou lá criança, disse a mãe sem deixar porém de se preocupar com a própria aparência. A mão sardenta, um pouco trêmula, arranjava com delicadeza a aba do chapéu e Catarina teve subitamente vontade de lhe perguntar se fora feliz com seu pai:

– Dê lembranças a titia! gritou.

– Sim, sim!

– Mamãe, disse Catarina porque um longo apito se ouvira e no meio da fumaça as rodas já se moviam.

– Catarina! disse a velha de boca aberta e olhos espantados, e ao primeiro solavanco a filha viu-a levar as mãos ao chapéu: este caíra-lhe até o nariz, deixando aparecer apenas a nova dentadura. O trem já andava e Catarina acenava. O rosto da mãe desapareceu um instante e reapareceu já sem o chapéu, o coque dos cabelos desmanchado caindo em mechas brancas sobre os ombros como as de uma donzela – o rosto estava inclinado sem sorrir, talvez mesmo sem enxergar mais a filha distante.

No meio da fumaça Catarina começou a caminhar de volta, as sobrancelhas franzidas, e nos olhos a malícia dos estrábicos. Sem a companhia da mãe, recuperara o modo firme de caminhar: sozinha era mais fácil. Alguns homens a olhavam, ela era doce, um pouco pesada de corpo. Caminhava serena, moderna nos trajes, os cabelos curtos pintados de acaju. E de tal modo haviam-se disposto as coisas que o amor doloroso lhe pareceu a felicidade – tudo estava tão vivo e tenro ao redor, a rua suja, os velhos bondes, cascas de laranja – a força fluía e refluía no seu coração com pesada riqueza. Estava muito bonita neste momento, tão elegante; integrada na sua época e na cidade onde nascera como se a tivesse escolhido. Nos olhos vesgos qualquer pessoa adivinharia o gosto que essa mulher tinha pelas coisas do mundo. Espiava as pessoas com insistência, procurando fixar naquelas figuras mutáveis seu prazer ainda úmido de lágrimas pela mãe. Desviou-se dos carros, conseguiu aproximar-se do ônibus burlando a fila, espiando com ironia; nada impediria que essa pequena mulher que andava rolando os quadris subisse mais um degrau misterioso nos seus dias.

O elevador zumbia no calor da praia. Abriu a porta do apartamento enquanto se libertava do chapeuzinho com a outra mão; parecia disposta a usufruir da largueza do mundo inteiro, caminho aberto pela sua mãe que lhe ardia no peito. Antônio mal levantou os olhos do livro. A tarde de sábado sempre fora "sua", e, logo depois da partida de Severina, ele a retomava com prazer, junto à escrivaninha.

– "Ela" foi?

– Foi sim, respondeu Catarina empurrando a porta do quarto de seu filho. Ah, sim, lá estava o menino, pensou com alívio súbito. Seu filho. Magro e nervoso. Desde que se pusera de pé caminhara firme; mas quase aos quatro anos falava como se desconhecesse verbos: constatava as coisas com frieza, não as ligando entre si. Lá estava ele mexendo na toalha molhada, exato e distante. A mulher sentia um calor bom e gostaria de prender o menino para sempre a este momento; puxou-lhe a toalha das mãos em censura: este menino! Mas o menino olhava indiferente para o ar, comunicando-se consigo mesmo. Estava sempre distraído. Ninguém conseguira ainda chamar-lhe verdadeiramente a atenção. A mãe sacudia a toalha no ar e impedia com sua forma a visão do quarto: mamãe, disse o menino. Catarina voltou-se rápida. Era a primeira vez que ele dizia "mamãe" nesse tom e sem pedir nada. Fora mais que uma constatação: mamãe! A mulher continuou a sacudir a toalha com violência e perguntou-se a quem poderia contar o que sucedera, mas não encontrou ninguém que entendesse o que ela não pudesse explicar. Desamarrotou a toalha com vigor antes de pendurá-la para secar. Talvez pudesse contar, se mudasse a forma. Contaria que o filho dissera: mamãe, quem é Deus. Não, talvez: mamãe, menino quer Deus. Talvez. Só em símbolos a verdade caberia, só em símbolos é que a receberiam. Com os olhos sorrindo de sua mentira necessária, e sobretudo da própria tolice, fugindo de Severina, a mulher inesperadamente riu de fato para o menino, não só com os olhos: o corpo todo riu quebrado, quebrado um invólucro, e uma aspereza aparecendo como uma rouquidão. Feia, disse então o menino examinando-a.

– Vamos passear! respondeu corando e pegando-o pela mão.

Passou pela sala, sem parar avisou ao marido: vamos sair! e bateu a porta do apartamento.

Antônio mal teve tempo de levantar os olhos do livro – e com surpresa espiava a sala já vazia. Catarina! chamou, mas já se ouvia o ruído do elevador descendo. Aonde foram? perguntou-se inquieto, tossindo e assoando o nariz. Porque sábado era seu, mas ele queria que sua mulher e seu filho estivessem em casa enquanto ele tomava o seu sábado. Catarina! chamou aborrecido embora soubesse que ela não poderia mais ouvi-lo. Levantou-se, foi à janela e um segundo depois enxergou sua mulher e seu filho na calçada.

Os dois haviam parado, a mulher talvez decidindo o caminho a tomar. E de súbito pondo-se em marcha.

Por que andava ela tão forte, segurando a mão da criança? pela janela via sua mulher prendendo com força a mão da criança e caminhando depressa, com os olhos fixos adiante; e, mesmo sem ver, o homem adivinhava sua boca endurecida. A criança, não se sabia por que obscura compreensão, também olhava fixo para a frente, surpreendida e ingênua. Vistas de cima as duas figuras perdiam a perspectiva familiar, pareciam achatadas ao solo e mais escuras à luz do mar. Os cabelos da criança voavam...

O marido repetiu-se a pergunta que, mesmo sob a sua inocência de frase cotidiana, inquietou-o: aonde vão? Via preocupado que sua mulher guiava a criança e temia que neste momento em que ambos estavam fora de seu alcance ela transmitisse a seu filho... mas o quê? "Catarina", pensou, "Catarina, esta criança ainda é inocente!" Em que momento é que a mãe, apertando uma criança, dava-lhe esta prisão de amor que se abateria para sempre sobre o futuro homem. Mais tarde seu filho, já homem, sozinho, estaria de pé diante desta mesma janela, batendo dedos nesta vidraça; preso. Obrigado a responder a um morto. Quem saberia jamais em que momento a mãe transferia ao filho a herança. E com que sombrio prazer. Agora mãe e filho compreendendo-se dentro do mistério partilhado. Depois ninguém saberia de que negras raízes se alimenta a liberdade de um homem. "Catarina", pensou com cólera, "a criança é inocente!" Tinham porém desaparecido pela praia. O mistério partilhado.

"Mas e eu? e eu?" perguntou assustado. Os dois tinham ido embora sozinhos. E ele ficara. "Com o seu sábado." E sua gripe. No apartamento arrumado, onde "tudo corria bem". Quem sabe se sua mulher estava fugindo com o filho da sala de luz bem regulada, dos móveis bem escolhidos, das cortinas e dos quadros? fora isso o que ele lhe dera. Apartamento de um engenheiro. E sabia que se a mulher aproveitava da situação de um marido moço e cheio de futuro – depreza-va-a também, com aqueles olhos sonsos, fugindo com seu filho nervoso e magro. O homem inquietou-se. Porque não poderia continuar a lhe dar senão: mais sucesso. E porque sabia que ela o ajudaria a consegui-lo e odiaria o que conseguissem. Assim era aquela calma mulher de trinta e dois anos que nunca falava propriamente, como se tivesse vivido sempre. As relações entre ambos eram tão tranquilas. Às vezes ele procurava humilhá-la, entrava no quarto enquanto ela mudava de roupa porque sabia que ela detestava ser vista nua. Por que precisava humilhá-la? no entanto ele bem sabia que ela só seria de um homem enquanto fosse orgulhosa. Mas tinha se habituado a torná-la feminina deste modo: humilhava-a com ternura, e já agora ela sorria – sem rancor? Talvez de tudo isso tivessem nascido suas relações pacíficas, e aquelas conversas em voz tranquila que faziam a atmosfera do lar para a criança. Ou esta se irritava às vezes? Às vezes o menino se irritava, batia os pés, gritava sob pesadelos. De onde nascera esta criaturinha vibrante, senão do que sua mulher e ele haviam cortado da vida diária. Viviam tão tranquilos que, se se aproximava um momento de alegria, eles se olhavam rapidamente, quase irônicos, e os olhos de ambos diziam: não vamos gastá-lo, não vamos ridiculamente usá-lo. Como se tivessem vivido desde sempre.

Mas ele a olhara da janela, vira-a andar depressa de mãos dadas com o filho, e dissera-se: ela está tomando o momento de alegria – sozinha. Sentira-se frustrado porque há muito não poderia viver senão com ela. E ela conseguia tomar seus momentos – sozinha. Por exemplo, que fizera sua mulher entre o trem e o apartamento? não que a suspeitasse mas inquietava-se.

A última luz da tarde estava pesada e abatia-se com gravidade sobre os objetos. As areias estalavam secas. O dia inteiro estivera sob essa ameaça de irradiação. Que nesse momento, sem rebentar, embora, se ensurdecia cada vez mais e zumbia no elevador ininterrupto do edifício. Quando Catarina voltasse eles jantariam afastando as mariposas. O menino gritaria no primeiro sono, Catarina interromperia um momento o jantar... e o elevador não pararia por um instante sequer?! Não, o elevador não pararia um instante.

– "Depois do jantar iremos ao cinema", resolveu o homem. Porque depois do cinema seria enfim noite, e este dia se quebraria com as ondas nos rochedos do Arpoador.

COMEÇOS DE UMA FORTUNA

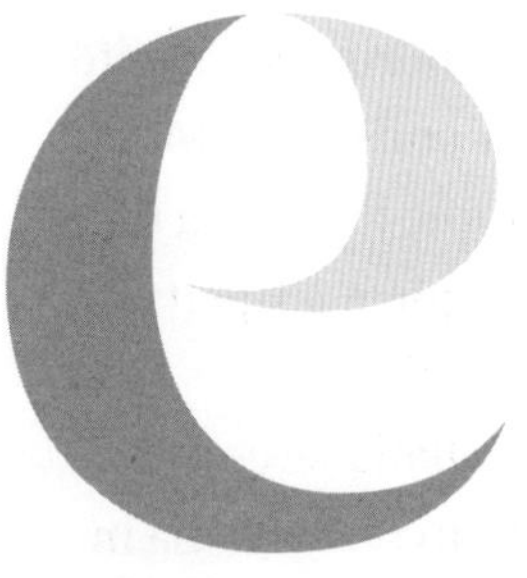

ra uma daquelas manhãs que parecem suspensas no ar. E que mais se assemelham à ideia que fazemos do tempo.

A varanda estava aberta mas a frescura se congelara fora e nada entrava do jardim, como se qualquer transbordamento fosse uma quebra de harmonia. Só algumas moscas brilhantes haviam penetrado na sala de jantar e sobrevoavam o açucareiro. A essa hora, Tijuca não havia despertado de todo. "Se eu tivesse dinheiro..." pensava Artur, e um desejo de entesourar, de possuir com tranquilidade, dava a seu rosto um ar desprendido e contemplativo.

– Não sou um jogador.

– Deixe de tolices, respondeu a mãe. Não recomece com histórias de dinheiro.

Na realidade ele não tinha vontade de iniciar nenhuma conversa premente que terminasse em soluções. Um pouco da mortificação do jantar da véspera sobre mesadas, com o pai misturando autoridade e compreensão e a mãe misturando compreensão e princípios básicos – um pouco da mortificação da véspera pedia, no entanto, prosseguimento. Só que era inútil procurar em si a urgência de ontem. Cada noite o sono parecia responder a todas as suas necessidades. E de manhã, ao contrário dos adultos que acordam escuros e barbados, ele despertava cada vez mais imberbe. Despenteado, mas diferente da desordem do pai, a quem parecia terem acontecido coisas durante a noite. Também sua mãe saía do quarto um pouco desfeita e ainda sonhadora, como se a amargura do sono tivesse lhe dado satisfação. Até tomarem café todos estavam irritados ou pensativos, inclusive a empregada. Não era esse o momento de pedir coisas. Mas para ele era uma necessidade pacífica a de estabelecer domínios de manhã: cada vez que acordava era como se precisasse recuperar os dias anteriores. Tanto o sono cortava suas amarras, todas as noites.

– Não sou um jogador nem um gastador.

– Artur, disse a mãe irritadíssima, já me bastam as minhas preocupações!

– Que preocupações? perguntou ele com interesse.

A mãe olhou-o seca como a um estranho. No entanto ele era muito mais parente que seu pai, que, por assim dizer, entrara na família. Apertou os lábios.

– Todo o mundo tem preocupações, meu filho, corrigiu-se ela entrando então em nova modalidade de relações, entre maternal e educadora.

E daí em diante sua mãe assumira o dia. Dissipara-se a espécie de individualidade com que acordava e Artur já podia contar com ela. Desde sempre, ou aceitavam-no ou reduziam-no a ser ele mesmo. Em pequeno brincavam com ele, jogavam-no para o ar, enchiam-no de beijos – e de repente ficavam "individuais" – largavam-no, diziam gentilmente mas já intangíveis: "agora acabou", e ele ficava todo vibrante de carícias, com tantas gargalhadas ainda por dar. Tornava-se implicante, mexia num e noutro com o pé, cheio de uma cólera que, no entanto, se transformaria no mesmo instante em delícia, em pura delícia, se eles apenas quisessem.

– Coma, Artur, concluiu a mãe e de novo ele já podia contar com ela. Assim imediatamente tornou-se menor e mais malcriado:

– Eu também tenho as minhas preocupações mas ninguém liga. Quando digo que preciso de dinheiro parece que estou pedindo para jogar ou para beber!

– Desde quando é que o senhor admite que podia ser para jogar ou para beber? disse o pai entrando na sala e encaminhando-se para a cabeceira da mesa. Ora essa! que pretensão!

Ele não contara com a chegada do pai. Desnorteado, porém habituado, começou:

– Mas papai! sua voz desafinou numa revolta que não chegava a ser indignada. Como contrapeso, a mãe já estava dominada, mexendo tranquilamente o café com leite, indiferente à conversa que parecia não passar de mais algumas moscas. Afastava-as do açucareiro com mão mole.

– Vá saindo que está na sua hora, cortou o pai. Artur virou-se para sua mãe. Mas esta passava manteiga no pão, absorta e prazerosa. Fugira de novo. A tudo diria sim, sem dar nenhuma importância.

Fechando a porta, ele de novo tinha a impressão de que a cada momento entregavam-no à vida. Assim é que a rua parecia recebê-lo. "Quando eu tiver minha mulher e meus filhos tocarei a campainha daqui e farei visitas e tudo será diferente", pensou.

A vida fora de casa era completamente outra. Além da diferença de luz – como se somente saindo ele visse que tempo realmente fazia e que disposições haviam tomado as circunstâncias durante a noite – além da diferença de luz, havia a diferença do modo de ser. Quando era pequeno a mãe dizia: "fora de casa ele é uma doçura, em casa um demônio". Mesmo agora, atravessando o pequeno portão, ele se tornara visivelmente mais moço e ao mesmo tempo menos criança, mais sensível e sobretudo sem assunto. Mas com um interesse dócil. Não era uma pessoa que procurasse conversas, mas se alguém lhe perguntava como agora: "menino, de que lado fica a igreja?", ele se animava com suavidade, inclinava o longo pescoço, pois todos eram mais baixos que ele; e informava atraído, como se nisso houvesse uma troca de cordialidades e um campo aberto à curiosidade. Ficou atento olhando a senhora dobrar a esquina em caminho da igreja, pacientemente responsável pelo seu itinerário.

– Mas dinheiro é feito pra gastar e você sabe com quê, disse-lhe Carlinhos intenso.

– Quero para comprar coisas, respondeu um pouco vago.

– Uma bicicletinha? riu Carlinhos ofensivo, corado na intriga.

Artur riu desagradado, sem prazer.

Sentado na carteira, esperou que o professor se erguesse. O pigarro deste, prefaciando o começo da aula, foi o sinal habitual para os alunos se sentarem mais para trás, abrirem os olhos com atenção e não pensarem em nada. "Em nada", foi a resposta perturbada de Artur ao professor que o interpelava irritado. "Em nada" era vagamente em conversas anteriores, em decisões pouco definitivas sobre um cinema à tarde, em – em dinheiro. Ele *precisava* de dinheiro. Mas durante a aula, obrigado a estar imóvel e sem nenhuma responsabilidade, qualquer desejo tinha como base o repouso.

– Você então não viu logo que Glorinha estava querendo ser convidada pro cinema? disse Carlinhos, e ambos olharam com curiosidade a menina que se afastava segurando a pasta. Pensativo, Artur continuou a andar ao lado do amigo, olhando as pedras do chão.

– Se você não tem dinheiro para duas entradas, eu empresto, você paga depois.

Pelo visto, do momento em que tivesse dinheiro seria obrigado a empregá-lo em mil coisas.

– Mas depois eu tenho que devolver a você e já estou devendo ao irmão de Antônio, respondeu evasivo.

– E então? que é que tem! explicou o outro, prático e veemente.

"E então", pensou com uma pequena cólera, "e então, pelo visto, logo que alguém tem dinheiro aparecem os outros querendo aplicá-lo, explicando como se perde dinheiro."

– Pelo visto, disse desviando do amigo a raiva, pelo visto basta você ter uns cruzeirinhos que mulher logo fareja e cai em cima.

Os dois riram. Depois disso ele ficou mais alegre, mais confiante. Sobretudo menos oprimido pelas circunstâncias.

Mas depois já era meio-dia e qualquer desejo se tornava mais árido e mais duro de suportar. Durante todo o almoço ele pensou com rispidez em fazer ou não fazer dívidas e sentia-se um homem aniquilado.

– Ou ele estuda demais ou não come bastante de manhã, disse a mãe. O fato é que acorda bem-disposto mas aparece para o almoço com essa cara pálida. Fica logo com as feições duras, é o primeiro sinal.

– Não é nada, é o desgaste natural do dia, disse o pai bem-humorado.

Olhando-se ao espelho do corredor antes de sair, realmente era a cara de um desses rapazes que trabalham, cansados e moços. Sorriu sem mexer os lábios, satisfeito no fundo dos olhos. Mas à porta do cinema não pôde deixar de pedir emprestado a Carlinhos, porque lá estava Glorinha com uma amiga.

– Vocês preferem sentar na frente ou no meio? perguntava Glorinha.

Diante disso, Carlinhos pagou a entrada da amiga e Artur recebeu disfarçado o dinheiro da entrada de Glorinha.

– Pelo visto, o cinema está estragado, disse de passagem para Carlinhos. Arrependeu-se logo depois de ter falado, pois o colega mal ouvira, ocupado com a menina. Não era necessário diminuir-se aos olhos do outro, para quem uma sessão de cinema só tinha a ganhar com uma garota.

Na realidade o cinema só esteve estragado no começo. Logo depois ele relaxou o corpo, esqueceu-se da presença ao lado e passou a ver o filme. Somente perto do meio teve consciência de Glorinha e num sobressalto olhou-a disfarçado. Com um pouco de surpresa constatou que ela não era propriamente a exploradora que ele supusera: lá estava Glorinha inclinada para a frente, a boca aberta pela atenção. Aliviado, recostou-se de novo na poltrona.

Mais tarde, porém, indagou-se se tinha ou não sido explorado. E sua angústia foi tão intensa que ele parou diante da vitrina com uma cara de horror. O coração batia como um punho. Além do rosto espantado, solto no vidro da vitrina, havia panelas e utensílios de cozinha que ele olhou com certa familiaridade. "Pelo visto, fui", concluiu e não conseguia sobrepor sua cólera ao perfil sem culpa de Glorinha. Aos poucos a própria inocência da menina tornou-se a sua culpa maior: "Então ela explorava, explorava, e depois ficava toda satisfeita vendo o filme?" Seus olhos se encheram de lágrimas. "Ingrata", pensou ele escolhendo mal uma palavra de acusação. Como a palavra era um símbolo de queixa mais do que de raiva, ele se confundiu um pouco e sua raiva acalmou-se. Parecia-lhe agora, de fora para dentro e sem nenhuma vontade, que ela deveria ter pago daquele modo a entrada do cinema.

Mas diante dos livros e cadernos fechados, seu rosto desanuviava-se.

Deixou de ouvir as portas que batiam, o piano da vizinha, a voz da mãe no telefone. Havia um grande silêncio no seu quarto, como num cofre. E o fim de tarde parecia com uma manhã. Estava longe, longe, como um gigante que pudesse estar fora mantendo no aposento apenas os dedos absortos que viravam e reviravam um lápis. Havia instantes em que respirava pesado como um velho. A maior parte do tempo, porém, seu rosto mal aflorava o ar do quarto.

– Já estudei! gritou para a mãe que interpelava sobre o barulho da água. Lavando cuidadosamente os pés na banheira, ele pensou que a amiga de Glorinha era melhor que Glorinha. Nem tinha procurado reparar se Carlinhos "aproveitara" ou não da outra. A essa ideia, saiu muito depressa da banheira e parou diante do espelho da pia. Até que o ladrilho esfriou seus pés molhados.

Não! não queria explicar-se com Carlinhos e ninguém lhe diria como usar o dinheiro que teria, e Carlinhos podia pensar que era com bicicletas, mas se fosse o que é que tem? e se nunca, mas nunca, quisesse gastar o seu dinheiro? e cada vez ficasse mais rico?... que é que há, está querendo briga? você pensa que...

– ... pode ser que você esteja muito ocupado com seus pensamentos, disse a mãe interrompendo-o, mas ao menos coma o seu jantar e de vez em quando diga uma palavra.

Então ele, em súbita volta à casa paterna:

– Ora a senhora diz que na mesa não se fala, ora quer que eu fale, ora diz que não se fala com a boca cheia, ora...

– Olhe o modo como você fala com sua mãe, disse o pai sem severidade.

– Papai, chamou Artur docilmente, com as sobrancelhas franzidas, papai, como é promissórias?

– Pelo visto, disse o pai com prazer, pelo visto o ginásio não serve para nada.

– Coma mais batata, Artur, tentou a mãe inutilmente arrastar os dois homens para si.

– Promissórias, dizia o pai afastando o prato, é assim: digamos que você tenha uma dívida.

MISTÉRIO EM SÃO CRISTÓVÃO

Numa noite de maio – os jacintos rígidos perto da vidraça – a sala de jantar de uma casa estava iluminada e tranquila.

Ao redor da mesa, por um instante imobilizados, achavam-se o pai, a mãe, a avó, três crianças e uma mocinha magra de dezenove anos. O sereno perfumado de São Cristóvão não era perigoso, mas o modo como as pessoas se agrupavam no interior da casa tornava arriscado o que não fosse o seio de uma família numa noite fresca de maio. Nada havia de especial na reunião: acabara-se de jantar e conversava-se ao redor da mesa, os mosquitos em torno da luz. O que tornava particularmente abastada a cena, e tão desabrochado o rosto de cada pessoa, é que depois de muitos anos quase se apalpava afinal o progresso nessa família: pois numa noite de maio, após o jantar, eis que as crianças têm ido diariamente à escola, o pai mantém os negócios, a mãe trabalhou durante anos nos partos e na casa, a mocinha está se equilibrando na delicadeza de sua idade, e a avó atingiu um estado. Sem se dar conta, a família fitava a sala feliz, vigiando o raro instante de maio e sua abundância.

Depois cada um foi para o seu quarto. A velha estendeu-se gemendo com benevolência. O pai e a mãe, fechadas todas as portas, deitaram-se pensativos e adormeceram. As três crianças, escolhendo as posições mais difíceis, adormeceram em três camas como em três trapézios. A mocinha, na sua camisola de algodão, abriu a janela do quarto e respirou todo o jardim com insatisfação e felicidade. Perturbada pela umidade cheirosa, deitou-se prometendo-se para o dia seguinte uma atitude inteiramente nova que abalasse os jacintos e fizesse as frutas estremecerem nos ramos – no meio de sua meditação adormeceu.

Passaram-se horas. E quando o silêncio piscava nos vaga-lumes – as crianças penduradas no sono, a avó ruminando um sonho difícil, os pais cansados, a mocinha adormecida no meio de sua meditação – abriu-se a casa de uma esquina e dela saíram três mascarados.

Um era alto e tinha a cabeça de um galo. Outro era gordo e vestira-se de touro. E o terceiro, mais novo, por falta de ideias, disfarçara-se em cavalheiro antigo e pusera máscara de demônio, através da qual surgiam seus olhos cândidos. Os três mascarados atravessaram a rua em silêncio.

Quando passaram pela casa escura da família, aquele que era um galo e tinha quase todas as ideias do grupo parou e disse:

– Olha só.

Os companheiros, tornados pacientes pela tortura da máscara, olharam e viram uma casa e um jardim. Sentindo-se elegantes e miseráveis, esperaram resignados que o outro completasse o pensamento. Afinal o galo acrescentou:

– Podemos colher jacintos.

Os outros dois não responderam. Aproveitaram a parada para se examinar desolados e procurar um meio de respirar melhor dentro da máscara.

– Um jacinto para cada um pregar na fantasia, concluiu o galo.

O touro agitou-se inquieto à ideia de mais um enfeite a ter que proteger na festa. Mas, passado um instante em que os três pareciam pensar profundamente para resolver, sem que na verdade pensassem em coisa alguma – o galo adiantou-se, subiu ágil pela grade e pisou na terra proibida do jardim. O touro seguiu-o com dificuldade. O terceiro, apesar de hesitante, num só pulo achou-se no próprio centro dos jacintos, com um baque amortecido que fez os três aguardarem assustados: sem respirar, o galo, o touro e o cavalheiro do diabo perscrutaram o escuro. Mas a casa continuava entre trevas e sapos. E, no jardim sufocado de perfume, os jacintos estremeciam imunes.

Então, o galo avançou. Poderia colher o jacinto que estava à sua mão. Os maiores, porém, que se erguiam perto de uma janela – altos, duros, frágeis – cintilavam chamando-o. Para lá o galo se dirigiu na ponta dos pés, e o touro e o cavalheiro acompanharam-no. O silêncio os vigiava.

Mal porém quebrara a haste do jacinto maior, o galo interrompeu-se gelado. Os dois outros pararam num suspiro que os mergulhou em sono.

Atrás do vidro escuro da janela estava um rosto branco olhando-os.

O galo imobilizara-se no gesto de quebrar o jacinto. O touro quedara-se de mãos ainda erguidas. O cavalheiro, exangue sob a máscara, rejuvenescera até encontrar a infância e o seu horror. O rosto atrás da janela olhava.

Nenhum dos quatro saberia quem era o castigo do outro. Os jacintos cada vez mais brancos na escuridão. Paralisados, eles se espiavam.

A simples aproximação de quatro máscaras na noite de maio parecia ter percutido ocos recintos, e mais outros, e mais outros que, sem o instante no jardim, ficariam para sempre nesse perfume que há no ar e na imanência de quatro naturezas que o acaso indicara, assinalando hora e lugar – o mesmo acaso preciso de uma estrela cadente. Os quatro, vindos da realidade, haviam caído nas possibilidades que tem uma noite de maio em São Cristóvão. Cada planta úmida, cada seixo, os sapos roucos aproveitavam a silenciosa confusão para se disporem em melhor lugar – tudo no escuro era muda aproximação. Caídos na cilada, eles se olhavam aterrorizados: fora saltada a natureza das coisas e as quatro figuras se espiavam de asas abertas. Um galo, um touro, o demônio e um rosto de moça haviam desatado a maravilha do jardim... Foi quando a grande lua de maio apareceu.

Era um toque perigoso para as quatro imagens. Tão arriscado que, sem um som, quatro mudas visões recuaram sem se desfitarem, temendo que no momento em que não se prendessem pelo olhar novos territórios distantes fossem feridos, e que, depois da silenciosa derrocada, restassem apenas os jacintos – donos do tesouro do jardim. Nenhum espectro viu o outro desaparecer porque todos se retiraram ao mesmo tempo, vagarosos, na ponta dos pés. Mal, porém, se quebrara o círculo mágico de quatro, livres da vigilância mútua, a constelação se desfez com terror: três vultos pularam como gatos as grades do jardim, e um outro, arrepiado e engrandecido, afastou-se de costas até o limiar de uma porta, de onde, num grito, se pôs a correr.

Os três cavalheiros mascarados que, por ideia funesta do galo, pretendiam fazer uma surpresa num baile tão longe do carnaval, foram um triunfo no meio da festa já começada. A música interrompeu-se e os dançarinos ainda enlaçados, entre risos, viram três mascarados ofegantes parar como indigentes à porta. Afinal, depois de várias tentativas, os convidados tiveram que abandonar o desejo de torná-los os reis da festa porque, assustados, os três não se separavam: um alto, um gordo e um jovem, um gordo, um jovem e um alto, desequilíbrio e união, os rostos sem palavras embaixo de três máscaras que vacilavam independentes.

Enquanto isso, a casa dos jacintos iluminara-se toda. A mocinha estava sentada na sala. A avó, com os cabelos brancos entrançados, segurava o copo d'água, a mãe alisava os cabelos escuros da filha, enquanto o pai percorria a casa. A mocinha nada sabia explicar: parecia ter dito tudo no grito. Seu rosto apequenara-se claro – toda a construção laboriosa de sua idade se desfizera, ela era de novo uma menina. Mas na imagem rejuvenescida de mais de uma época, para o horror da família, um fio branco aparecera entre os cabelos da fronte. Como persistisse em olhar em direção da janela, deixaram-na sentada a repousar, e, com castiçais na mão, estremecendo de frio nas camisolas, saíram em expedição pelo jardim.

Em breve as velas se espalhavam dançando na escuridão. Heras aclaradas se encolhiam, os sapos saltavam iluminados entre os pés, frutos se douravam por um instante entre as folhas. O jardim, despertado no sonho, ora se engrandecia ora se extinguia; borboletas voavam sonâmbulas. Finalmente a velha, boa conhecedora dos canteiros, apontou o único sinal visível no jardim que se esquivava: o jacinto ainda vivo quebrado no talo... Então era verdade: alguma coisa sucedera. Voltaram, iluminaram a casa toda e passaram o resto da noite a esperar.

Só as três crianças dormiam ainda mais profundamente.

A mocinha aos poucos recuperou sua verdadeira idade. Somente ela não vivia a perscrutar. Mas os outros, que nada tinham visto, tornaram-se atentos e inquietos. E como o progresso naquela família era frágil produto de muitos cuidados e de algumas mentiras, tudo se desfez e teve que se refazer quase do princípio: a avó, de novo pronta a se ofender, o pai e a mãe fatigados, as crianças insuportáveis, toda a casa parecendo esperar que mais uma vez a brisa da abastança soprasse depois de um jantar. O que sucederia talvez noutra noite de maio.

O CRIME DO PROFESSOR DE MATEMÁTICA

Quando o homem atingiu a colina mais alto, os sinos tocavam na cidade embaixo. Viam-se apenas os tetos irregulares das casas. Perto dele estava a única árvore da chapada. O homem estava de pé com um saco pesado na mão.

Olhou para baixo com olhos míopes. Os católicos entravam devagar e miúdos na igreja, e ele procurava ouvir as vozes esparsas das crianças espalhadas na praça. Mas apesar da limpidez da manhã os sons mal alcançavam o planalto. Via também o rio que de cima parecia imóvel, e pensou: é domingo. Viu ao longe a montanha mais alta com as escarpas secas. Não fazia frio mas ele ajeitou o paletó agasalhando-se melhor. Afinal pousou com cuidado o saco no chão. Tirou os óculos talvez para respirar melhor porque, com os óculos na mão, respirou muito fundo. A claridade batia nas lentes que enviaram sinais agudos. Sem os óculos, seus olhos piscaram claros, quase jovens, infamiliares. Pôs de novo os óculos, tornou-se um senhor de meia-idade e pegou de novo no saco: pesava como se fosse de pedra, pensou. Forçou a vista para perceber a correnteza do rio, inclinou a cabeça para ouvir algum ruído: o rio estava parado e apenas o som mais duro de uma voz atingiu por um instante a altura – sim, ele estava bem só. O ar fresco era inóspito, ele que morara numa cidade mais quente. A única árvore da chapada balançava os ramos. Ele olhou-a. Ganhava tempo. Até que achou que não havia por que esperar mais.

E no entanto aguardava. Certamente os óculos o incomodavam porque de novo os tirou, respirou fundo e guardou-os no bolso.

Abriu então o saco, espiou um pouco. Depois meteu dentro a mão magra e foi puxando o cachorro morto. Todo ele se concentrava apenas na mão importante e ele mantinha os olhos profundamente fechados enquanto puxava. Quando os abriu, o ar estava ainda mais claro e os sinos alegres tocaram novamente chamando os fiéis para o consolo da punição.

O cachorro desconhecido estava à luz.

Então ele se pôs metodicamente a trabalhar. Pegou no cachorro duro e negro, depositou-o numa baixa do terreno. Mas, como se já tivesse feito muito, pôs os óculos, sentou-se ao lado do cão e começou a observar a paisagem.

Viu muito claramente, e com certa inutilidade, a chapada deserta. Mas observou com precisão que estando sentado já não enxergava a cidadezinha embaixo. Respirou de novo. Remexeu no saco e tirou a pá. E pensou no lugar que escolheria. Talvez embaixo da árvore. Surpreendeu-se refletindo que embaixo da árvore enterraria este cão. Mas se fosse o outro, o verdadeiro cão, enterrá-lo-ia na verdade onde ele próprio gostaria de ser sepultado se estivesse morto: no centro mesmo da chapada, a encarar de olhos vazios o sol. Então, já que o cão desconhecido substituía o "outro", quis que ele, para maior perfeição do ato, recebesse precisamente o que o outro receberia. Não havia nenhuma confusão na cabeça do homem. Ele se entendia a si próprio com frieza, sem nenhum fio solto.

Em breve, por excesso de escrúpulo, estava ocupado demais em procurar determinar rigorosamente o meio da chapada. Não era fácil porque a única árvore se erguia num lado e, tendo-se como falso centro, dividia assimetricamente o planalto. Diante da dificuldade o homem concedeu: "não era necessário enterrar no centro, eu também enterraria o outro, digamos, bem onde eu estivesse neste mesmo instante em pé". Porque se tratava de dar ao acontecimento a fatalidade do acaso, a marca de uma ocorrência exterior e evidente – no mesmo plano das crianças na praça e dos católicos entrando na igreja – tratava-se de tornar o fato ao máximo visível à superfície do mundo sob o céu. Tratava-se de expor-se e de expor um fato, e de não lhe permitir a forma íntima e impune de um pensamento.

À ideia de enterrar o cão onde estivesse nesse mesmo momento em pé – o homem recuou com uma agilidade que seu corpo pequeno e singularmente pesado não permitia. Porque lhe pareceu que sob os pés se desenhara o esboço da cova do cão.

Então ele começou a cavar ali mesmo com pá rítmica. Às vezes se interrompia para tirar e de novo botar os óculos. Suava penosamente. Não cavou muito mas não porque quisesse poupar seu cansaço. Não cavou muito porque pensou lúcido: "se fosse para o verdadeiro cão, eu cavaria pouco, enterrá-lo-ia bem à tona". Ele achava que o cão à superfície da terra não perderia a sensibilidade.

Afinal largou a pá, pegou com delicadeza o cachorro desconhecido e pousou-o na cova.

Que cara estranha o cão tinha. Quando com um choque descobrira o cão morto numa esquina, a ideia de enterrá-lo tornara seu coração tão pesado e surpreendido, que ele nem sequer tivera olhos para aquele focinho duro e de baba seca. Era um cão estranho e objetivo.

O cão era um pouco mais alto que o buraco cavado e depois de coberto com terra seria uma excrescência apenas sensível do planalto. Era assim precisamente que ele queria. Cobriu o cão com terra e aplainou-a com as mãos, sentindo com atenção e prazer sua forma nas palmas como se o alisasse várias vezes. O cão era agora apenas uma aparência do terreno.

Então o homem se levantou, sacudiu a terra das mãos, e não olhou nenhuma vez mais a cova. Pensou com certo gosto: acho que fiz tudo. Deu um suspiro fundo, e um sorriso inocente de libertação. Sim, fizera tudo. Seu crime fora punido e ele estava livre.

E agora ele podia pensar livremente no verdadeiro cão. Pôs-se então imediatamente a pensar no verdadeiro cão, o que ele evitara até agora. O verdadeiro cão que agora mesmo devia vagar perplexo pelas ruas do outro município, farejando aquela cidade onde ele não tinha mais dono.

Pôs-se então a pensar com dificuldade no verdadeiro cão como se tentasse pensar com dificuldade na sua verdadeira vida. O fato do cachorro estar distante na outra cidade dificultava a tarefa, embora a saudade o aproximasse da lembrança.

"Enquanto eu te fazia à minha imagem, tu me fazias à tua", pensou então com auxílio da saudade. "Dei-te o nome de José para te dar um nome que te servisse ao mesmo tempo de alma. E tu – como saber jamais que nome me deste? Quanto me amaste mais do que te amei", refletiu curioso.

"Nós nos compreendíamos demais, tu com o nome humano que te dei, eu com o nome que me deste e que nunca pronunciaste senão com o olhar insistente", pensou o homem sorrindo com carinho, livre agora de se lembrar à vontade.

"Lembro-me de ti quando eras pequeno", pensou divertido, "tão pequeno, bonitinho e fraco, abanando o rabo, me olhando, e eu surpreendendo em ti uma nova forma de ter minha alma. Mas, desde então, já começavas a ser todos os dias um cachorro que se podia abandonar. Enquanto isso, nossas brincadeiras tornavam-se perigosas de tanta compreensão", lembrou-se o homem satisfeito, "tu terminavas me mordendo e rosnando, eu terminava jogando um livro sobre ti e rindo. Mas quem sabe o que já significava aquele meu riso sem vontade. Eras todos os dias um cão que se podia abandonar."

"E como cheiravas as ruas!", pensou o homem rindo um pouco, "na verdade não deixaste pedra por cheirar... Este era o teu lado infantil. Ou era o teu verdadeiro cumprimento de ser cão? e o resto apenas brincadeira de ser meu? Porque eras irredutível. E, abanando tranquilo o rabo, parecias rejeitar em silêncio o nome que eu te dera. Ah, sim, eras irredutível: eu não queria que comesses carne para que não ficasses feroz, mas pulaste um dia sobre a mesa e, entre os gritos felizes das crianças, agarraste a carne e, com uma ferocidade que não vem do que se come, me olhaste mudo e irredutível com a carne na boca. Porque, embora meu, nunca me cedeste nem um pouco de teu passado e de tua natureza. E, inquieto, eu começava a compreender que não exigias de mim que eu cedesse nada da minha para te amar, e isso começava a me importunar. Era no ponto de realidade resistente das duas naturezas que esperavas que nos entendêssemos: Minha ferocidade e a tua não deveriam se trocar por doçura: era isso o que pouco a pouco me ensinavas, e era isto também que estava se tornando pesado. Não me pedindo nada, me pedias demais. De ti mesmo, exigias que fosses um cão. De mim, exigias que eu fosse um homem. E eu, eu disfarçava como podia. Às vezes, sentado sobre as patas diante de mim, como me espiavas! Eu então olhava o teto, tossia, dissimulava, olhava as unhas. Mas nada te comovia: tu me espiavas. A quem irias contar? Finge – dizia-me eu –, finge depressa que és outro, dá a falsa entrevista, faz-lhe um afago, joga-lhe um osso – mas nada te distraía: tu me espiavas. Tolo que eu era. Eu fremia de horror, quando eras tu o inocente: que eu me virasse e de repente te mostrasse meu rosto verdadeiro, e eriçado, atingido, erguer-te-ias até a porta ferido para sempre. Oh, eras todos os dias um cão que se podia abandonar. Podia-se escolher. Mas tu, confiante, abanavas o rabo."

"Às vezes, tocado pela tua acuidade, eu conseguia ver em ti a tua própria angústia. Não a angústia de ser cão que era a tua única forma possível. Mas a angústia de existir de um modo tão perfeito que se tornava uma alegria insuportável: davas então um pulo e vinhas lamber meu rosto com amor inteiramente dado e certo perigo de ódio como se fosse eu quem, pela amizade, te houvesse revelado. Agora estou bem certo de que não fui eu quem teve um cão. Foste tu que tiveste uma pessoa."

"Mas possuíste uma pessoa tão poderosa que podia escolher: e então te abandonou. Com alívio abandonou-te. Com alívio sim, pois exigias – com a incompreensão serena e simples de quem é um cão heroico – que eu fosse um homem. Abandonou-te com uma desculpa que todos em casa aprovaram: porque como poderia eu fazer uma viagem de mudança com bagagem e família, e ainda mais um cão, com a adaptação ao novo colégio e à nova cidade, e ainda mais um cão? 'Que não cabe em parte alguma', disse Marta prática. 'Que incomodará os passageiros', explicou minha sogra sem saber que previamente me justificava, e as crianças choraram, e eu não olhava nem para elas nem para ti, José. Mas só tu e eu sabemos que te abandonei porque eras a possibilidade constante do crime que eu nunca tinha cometido. A possibilidade de eu pecar o que, no disfarçado de meus olhos, já era pecado. Então pequei logo para ser logo culpado. E este crime substitui o crime maior que eu não teria coragem de cometer", pensou o homem cada vez mais lúcido.

"Há tantas formas de ser culpado e de perder-se para sempre e de se trair e de não se enfrentar. Eu escolhi a de ferir um cão", pensou o homem. "Porque eu sabia que esse seria um crime menor e que ninguém vai para o Inferno por abandonar um cão que confiou num homem. Porque eu sabia que esse crime não era punível."

Sentado na chapada, sua cabeça matemática estava fria e inteligente. Só agora ele parecia compreender, em toda sua gélida plenitude, que fizera com o cão algo realmente impune e para sempre. Pois ainda não haviam inventado castigo para os grandes crimes disfarçados e para as profundas traições.

Um homem ainda conseguia ser mais esperto que o Juízo Final. Este crime ninguém o condenava. Nem a Igreja. "Todos são meus cúmplices, José. Eu teria que bater de porta em porta e mendigar que me acusassem e me punissem: todos me bateriam a porta com uma cara de repente endurecida. Este crime ninguém me condena. Nem tu, José, me condenarias. Pois bastaria, esta pessoa poderosa que sou, escolher de te chamar – e, do teu abandono nas ruas, num pulo me lamberias a face com alegria e perdão. Eu te daria a outra face a beijar."

O homem tirou os óculos, respirou, botou-os de novo.

Olhou a cova coberta. Onde ele enterrara um cão desconhecido em tributo ao cão abandonado, procurando enfim pagar a dívida que inquietantemente ninguém lhe cobrava. Procurando punir-se com um ato de bondade e ficar livre de seu crime. Como alguém dá uma esmola para enfim poder comer o bolo por causa do qual o outro não comeu o pão.

Mas como se José, o cão abandonado, exigisse dele muito mais que a mentira; como se exigisse que ele, num último arranco, fosse um homem – e como homem assumisse o seu crime – ele olhava a cova onde enterrara a sua fraqueza e a sua condição.

E agora, mais matemático ainda, procurava um meio de não se ter punido. Ele não devia ser consolado. Procurava friamente um modo de destruir o falso enterro do cão desconhecido. Abaixou-se então, e, solene, calmo, com movimentos simples – desenterrou o cão. O cão escuro apareceu afinal inteiro, infamiliar com a terra nos cílios, os olhos abertos e cristalizados. E assim o professor de matemática renovara o seu crime para sempre. O homem então olhou para os lados e para o céu pedindo testemunha para o que fizera. E como se não bastasse ainda, começou a descer as escarpas em direção ao seio de sua família.

O BÚFALO

Mas era primavera. Até o leão lambeu a testa glabra da leoa. Os dois animais louros. A mulher desviou os olhos da jaula, onde só o cheiro quente lembrava a carnificina que ela viera buscar no Jardim Zoológico. Depois o leão passeou enjubado e tranquilo, e a leoa lentamente reconstituiu sobre as patas estendidas a cabeça de uma esfinge. "Mas isso é amor, é amor de novo", revoltou-se a mulher tentando encontrar-se com o próprio ódio mas era primavera e dois leões se tinham amado. Com os punhos nos bolsos do casaco, olhou em torno de si, rodeada pelas jaulas, enjaulada pelas jaulas fechadas. Continuou a andar. Os olhos estavam tão concentrados na procura que sua vista às vezes se escurecia num sono, e então ela se refazia como na frescura de uma cova.

Mas a girafa era uma virgem de tranças recém-cortadas. Com a tola inocência do que é grande e leve e sem culpa. A mulher do casaco marrom desviou os olhos, doente, doente. Sem conseguir – diante da aérea girafa pousada, diante daquele silencioso pássaro sem asas – sem conseguir encontrar dentro de si o ponto pior de sua doença, o ponto mais doente, o ponto de ódio, ela que fora ao Jardim Zoológico para adoecer. Mas não diante da girafa que mais era paisagem que um ente. Não diante daquela carne que se distraíra em altura e distância, a girafa quase verde. Procurou outros animais, tentava aprender com eles a odiar. O hipopótamo, o hipopótamo úmido. O rolo roliço de carne, carne redonda e muda esperando outra carne roliça e muda. Não. Pois havia tal amor humilde em se manter apenas carne, tal doce martírio em não saber pensar.

Mas era primavera, e, apertando o punho no bolso do casaco, ela mataria aqueles macacos em levitação pela jaula, macacos felizes como ervas, macacos se entrepulando suaves, a macaca com olhar resignado de amor, e a outra macaca dando de mamar. Ela os mataria com quinze secas balas: os dentes da mulher se apertaram até o maxilar doer. A nudez dos macacos. O mundo que não via perigo em ser nu. Ela mataria a nudez dos macacos. Um macaco também a olhou segurando as grades, os braços descarnados abertos em crucifixo, o peito pelado exposto sem orgulho. Mas não era no peito que ela mataria, era entre os olhos do macaco que ela mataria, era entre aqueles olhos que a olhavam sem pestanejar. De repente a mulher desviou o rosto: é que os olhos do macaco tinham um véu branco gelatinoso cobrindo a pupila, nos olhos a doçura da doença, era um macaco velho – a mulher desviou o rosto, trancando entre os dentes um sentimento que ela não viera buscar, apressou os passos, ainda voltou a cabeça espantada para o macaco de braços abertos: ele continuava a olhar para a frente. "Oh não, não isso", pensou. E enquanto fugia, disse: "Deus, me ensine somente a odiar."

"Eu te odeio", disse ela para um homem cujo crime único era o de não amá-la. "Eu te odeio", disse muito apressada.

Mas não sabia sequer como se fazia. Como cavar na terra até encontrar a água negra, como abrir passagem na terra dura e chegar jamais a si mesma? Andou pelo Jardim Zoológico entre mães e crianças. Mas o elefante suportava o próprio peso. Aquele elefante inteiro a quem fora dado com uma simples pata esmagar. Mas que não esmagava. Aquela potência que no entanto se deixaria docilmente conduzir a um circo, elefante de crianças. E os olhos, numa bondade de velho, presos dentro da grande carne herdada. O elefante oriental. Também a primavera oriental, e tudo nascendo, tudo escorrendo pelo riacho.

A mulher então experimentou o camelo. O camelo em trapos, corcunda, mastigando a si próprio, entregue ao processo de conhecer a comida. Ela se sentiu fraca e cansada, há dois dias mal comia. Os grandes cílios empoeirados do camelo sobre olhos que se tinham dedicado à paciência de um artesanato interno. A paciência, a paciência, a paciência, só isso ela encontrava na primavera ao vento. Lágrimas encheram os olhos da mulher, lágrimas que não correram, presas dentro da paciência de sua carne herdada. Somente o cheiro de poeira do camelo vinha de encontro ao que ela viera: ao ódio seco, não a lágrimas. Aproximou-se das barras do cercado, aspirou o pó daquele tapete velho onde sangue cinzento circulava, procurou a tepidez impura, o prazer percorreu suas costas até o mal-estar, mas não ainda o mal-estar que ela viera buscar. No estômago contraiu-se em cólica de fome a vontade de matar. Mas não o camelo de estopa. "Oh, Deus, quem será meu par neste mundo?"

Então foi sozinha ter a sua violência. No pequeno parque de diversões do Jardim Zoológico esperou meditativa na fila de namorados pela sua vez de se sentar no carro da montanha-russa.

E ali estava agora sentada, quieta no casaco marrom. O banco ainda parado, a maquinaria da montanha-russa ainda parada. Separada de todos no seu banco parecia estar sentada numa Igreja. Os olhos baixos viam o chão entre os trilhos. O chão onde simplesmente por amor – amor, amor, não o amor! – onde por puro amor nasciam entre os trilhos ervas de um verde leve tão tonto que a fez desviar os olhos em suplício de tentação. A brisa arrepiou-lhe os cabelos da nuca, ela estremeceu recusando, em tentação recusando, sempre tão mais fácil amar.

Mas de repente foi aquele voo de vísceras, aquela parada de um coração que se surpreende no ar, aquele espanto, a fúria vitoriosa com que o banco a precipitava no nada e imediatamente a soerguia como uma boneca de saia levantada, o profundo ressentimento com que ela se tornou mecânica, o corpo automaticamente alegre – o grito das namoradas! – seu olhar ferido pela grande surpresa, a ofensa, "faziam dela o que queriam", a grande ofensa – o grito das namoradas! – a enorme perplexidade de estar espasmodicamente brincando, faziam dela o que queriam, de repente sua candura exposta. Quantos minutos? os minutos de um grito prolongado de trem na curva, e a alegria de um novo mergulho no ar insultando-a como um pontapé, ela dançando descompassada ao vento, dançando apressada, quisesse ou não quisesse o corpo sacudia-se como o de quem ri, aquela sensação de morte às gargalhadas, morte sem aviso de quem não rasgou antes os papéis da gaveta, não a morte dos outros, a sua, sempre a sua. Ela que poderia ter aproveitado o grito dos outros para dar seu urro de lamento, ela se esqueceu, ela só teve espanto.

E agora este silêncio também súbito. Estavam de volta a terra, a maquinaria de novo inteiramente parada.

Pálida, jogada fora de uma Igreja, olhou a terra imóvel de onde partira e aonde de novo fora entregue. Ajeitou as saias com recato. Não olhava para ninguém. Contrita como no dia em que no meio de todo o mundo tudo o que tinha na bolsa caíra no chão e tudo o que tivera valor enquanto secreto na bolsa, ao ser exposto na poeira da rua, revelara a mesquinharia de uma vida íntima de precauções: pó de arroz, recibo, caneta-tinteiro, ela recolhendo do meio-fio os andaimes de sua vida. Levantou-se do banco estonteada como se estivesse se sacudindo de um atropelamento. Embora ninguém prestasse atenção, alisou de novo a saia, fazia o possível para que não percebessem que estava fraca e difamada, protegia com altivez os ossos quebrados. Mas o céu lhe rodava no estômago vazio; a terra, que subia e descia a seus olhos, ficava por momentos distante, a terra que é sempre tão difícil. Por um momento a mulher quis, num cansaço de choro mudo, estender a mão para a terra difícil: sua mão se estendeu como a de um aleijado pedindo. Mas como se tivesse engolido o vácuo, o coração surpreendido.

Só isso? Só isto. Da violência, só isto.

Recomeçou a andar em direção aos bichos. O quebranto da montanha-russa deixara-a suave. Não conseguiu ir muito adiante: teve que apoiar a testa na grade de uma jaula, exausta, a respiração curta e leve. De dentro da jaula o quati olhou-a. Ela o olhou. Nenhuma palavra trocada. Nunca poderia odiar o quati que no silêncio de um corpo indagante a olhava. Perturbada, desviou os olhos da ingenuidade do quati. O quati curioso lhe fazendo uma pergunta como uma criança pergunta. E ela desviando os olhos, escondendo dele a sua missão mortal. A testa estava tão encostada às grades que por um instante lhe pareceu que ela estava enjaulada e que um quati livre a examinava.

A jaula era sempre do lado onde ela estava: deu um gemido que pareceu vir da sola dos pés. Depois outro gemido.

Então, nascida do ventre, de novo subiu, implorante, em onda vagarosa, a vontade de matar – seus olhos molharam-se gratos e negros numa quase felicidade, não era o ódio ainda, por enquanto apenas a vontade atormentada de ódio como um desejo, à promessa do desabrochamento cruel, um tormento como de amor, a vontade de ódio se prometendo sagrado sangue e triunfo, a fêmea rejeitada espiritualizara-se na grande esperança. Mas onde, onde encontrar o animal que lhe ensinasse a ter o seu próprio ódio? o ódio que lhe pertencia por direito mas que em dor ela não alcançava? onde aprender a odiar para não morrer de amor? E com quem? O mundo de primavera, o mundo das bestas que na primavera se cristianizam em patas que arranham mas não dói... oh não mais esse mundo! não mais esse perfume, não esse arfar cansado, não mais esse perdão em tudo o que um dia vai morrer como se fora para dar-se. Nunca o perdão, se aquela mulher perdoasse mais uma vez, uma só vez que fosse, sua vida estaria perdida – deu um gemido áspero e curto, o quati sobressaltou-se – enjaulada olhou em torno de si, e como não era pessoa em quem prestassem atenção, encolheu-se como uma velha assassina solitária, uma criança passou correndo sem vê-la.

Recomeçou então a andar, agora apequenada, dura, os punhos de novo fortificados nos bolsos, a assassina incógnita, e tudo estava preso no seu peito. No peito que só sabia resignar-se, que só sabia suportar, só sabia pedir perdão, só sabia perdoar, que só aprendera a ter a doçura da infelicidade, e só aprendera a amar, a amar, a amar. Imaginar que talvez nunca experimentasse o ódio de que sempre fora feito o seu perdão, fez seu coração gemer sem pudor, ela começou a andar tão depressa que parecia ter encontrado um súbito destino. Quase corria, os sapatos a desequilibravam, e davam-lhe uma fragilidade de corpo que de novo a reduzia a fêmea de presa, os passos tomaram mecanicamente o desespero implorante dos delicados, ela que não passava de uma delicada. Mas, pudesse tirar os sapatos, poderia evitar a alegria de andar descalça? como não amar o chão em que se pisa? Gemeu de novo, parou diante das barras de um cercado, encostou o rosto quente no enferrujado frio do ferro. De olhos profundamente fechados procurava enterrar a cara entre a dureza das grades, a cara tentava uma passagem impossível entre barras estreitas, assim como antes vira o macaco recém-nascido buscar na cegueira da fome o peito da macaca. Um conforto passageiro veio-lhe do modo como as grades pareceram odiá-la opondo-lhe a resistência de um ferro gelado.

Abriu os olhos devagar. Os olhos vindos de sua própria escuridão nada viram na desmaiada luz da tarde. Ficou respirando. Aos poucos recomeçou a enxergar, aos poucos as formas foram se solidificando, ela cansada, esmagada pela doçura de um cansaço. Sua cabeça ergueu-se em indagação para as árvores de brotos nascendo, os olhos viram as pequenas nuvens brancas. Sem esperança, ouviu a leveza de um riacho. Abaixou de novo a cabeça e ficou olhando o búfalo ao longe. Dentro de um casaco marrom, respirando sem interesse, ninguém interessado nela, ela não interessada em ninguém.

Certa paz enfim. A brisa mexendo nos cabelos da testa como nos de pessoa recém-morta, de testa ainda suada. Olhando com isenção aquele grande terreno seco rodeado de grades altas, o terreno do búfalo. O búfalo negro estava imóvel no fundo do terreno. Depois passeou ao longe com os quadris estreitos, os quadris concentrados. O pescoço mais grosso que as ilhargas contraídas. Visto de frente, a grande cabeça mais larga que o corpo impedia a visão do resto do corpo, como uma cabeça decepada. E na cabeça os cornos. De longe ele passeava devagar com seu torso. Era um búfalo negro. Tão preto que a distância a cara não tinha traços. Sobre o negror a alvura erguida dos cornos.

A mulher talvez fosse embora mas o silêncio era bom no cair da tarde.

E no silêncio do cercado, os passos vagarosos, a poeira seca sob os cascos secos. De longe, no seu calmo passeio, o búfalo negro olhou-a um instante. No instante seguinte, a mulher de novo viu apenas o duro músculo do corpo. Talvez não a tivesse olhado. Não podia saber, porque das trevas da cabeça ela só distinguia os contornos. Mas de novo ele pareceu tê-la visto ou sentido.

A mulher aprumou um pouco a cabeça, recuou-a ligeiramente em desconfiança. Mantendo o corpo imóvel, a cabeça recuada, ela esperou.

E mais uma vez o búfalo pareceu notá-la.

Como se ela não tivesse suportado sentir o que sentira, desviou subitamente o rosto e olhou uma árvore. Seu coração não bateu no peito, o coração batia oco entre o estômago e os intestinos.

O búfalo deu outra volta lenta. A poeira. A mulher apertou os dentes, o rosto todo doeu um pouco.

O búfalo com o torso preto. No entardecer luminoso era um corpo enegrecido de tranquila raiva, a mulher suspirou devagar. Uma coisa branca espalhara-se dentro dela, branca como papel, fraca como papel, intensa como uma brancura. A morte zumbia nos seus ouvidos. Novos passos do búfalo trouxeram-na a si mesma e, em novo longo suspiro, ela voltou à tona. Não sabia onde estivera. Estava de pé, muito débil, emergida daquela coisa branca e remota onde estivera.

E de onde olhou de novo o búfalo.

O búfalo agora maior. O búfalo negro. Ah, disse de repente com uma dor. O búfalo de costas para ela, imóvel. O rosto esbranquiçado da mulher não sabia como chamá-lo. Ah! disse provocando-o. Ah! disse ela. Seu rosto estava coberto de mortal brancura, o rosto subitamente emagrecido era de pureza e veneração. Ah! instigou-o com os dentes apertados. Mas de costas para ela, o búfalo inteiramente imóvel.

Apanhou uma pedra no chão e jogou para dentro do cercado. A imobilidade do torso, mais negra ainda se aquietou: a pedra rolou inútil.

Ah! disse sacudindo as barras. Aquela coisa branca se espalhava dentro dela, viscosa como uma saliva. O búfalo de costas.

Ah, disse. Mas dessa vez porque dentro dela escorria enfim um primeiro fio de sangue negro.

O primeiro instante foi de dor. Como se para que escorresse este sangue se tivesse contraído o mundo. Ficou parada, ouvindo pingar como numa grota aquele primeiro óleo amargo, a fêmea desprezada. Sua força ainda estava presa entre barras, mas uma coisa incompreensível e quente, enfim incompreensível, acontecia, uma coisa como uma alegria sentida na boca. Então o búfalo voltou-se para ela.

O búfalo voltou-se, imobilizou-se, e a distância encarou-a.

Eu te amo, disse ela então com ódio para o homem cujo grande crime impunível era o de não querê-la. Eu te odeio, disse implorando amor ao búfalo.

Enfim provocado, o grande búfalo aproximou-se sem pressa.

Ele se aproximava, a poeira erguia-se. A mulher esperou de braços pendidos ao longo do casaco. Devagar ele se aproximava. Ela não recuou um só passo. Até que ele chegou às grades e ali parou. Lá estavam o búfalo e a mulher, frente a frente. Ela não olhou a cara, nem a boca, nem os cornos. Olhou seus olhos.

E os olhos do búfalo, os olhos olharam seus olhos. E uma palidez tão funda foi trocada que a mulher se entorpeceu dormente. De pé, em sono profundo. Olhos pequenos e vermelhos a olhavam. Os olhos do búfalo. A mulher tonteou surpreendida, lentamente meneava a cabeça. O búfalo calmo. Lentamente a mulher meneava a cabeça, espantada com o ódio com que o búfalo, tranquilo de ódio, a olhava. Quase inocentada, meneando uma cabeça incrédula, a boca entreaberta. Inocente, curiosa, entrando cada vez mais fundo dentro daqueles olhos que sem pressa a fitavam, ingênua, num suspiro de sono, sem querer nem poder fugir, presa ao mútuo assassinato. Presa como se sua mão se tivesse grudado para sempre ao punhal que ela mesma cravara. Presa, enquanto escorregava enfeitiçada ao longo das grades. Em tão lenta vertigem que antes do corpo baquear macio a mulher viu o céu inteiro e um búfalo.

POSFÁCIO

NA DOBRA DO LAÇO, À BEIRA DO NÓ

Laços de família nasceu aos poucos, como se aguardasse a cumplicidade do tempo para oferecer ao leitor uma obra-prima. A maioria dos textos havia sido publicada de forma esparsa na imprensa e no pequeno volume *Alguns contos*, entre 1946 e 1952. A espera para a edição final em 1960, com nome definitivo, demandou à escritora paciência para lidar com contratempos do mercado editorial: o maior deles foi readquirir os direitos, retidos para uma publicação do MEC que nunca saía. Com muito tato, conseguiu contornar o impasse. No ano seguinte, ganhou o prêmio Jabuti.

Questões postas ou sugeridas nos três romances anteriores retornam neste volume com igual densidade e ganham em síntese no formato conto, que Clarice Lispector domina à perfeição, tendo estabelecido ao longo da vida novos parâmetros para o gênero. Em cada uma das treze histórias, laço a laço, se observam elementos fundamentais para a boa realização da narrativa curta, segundo parâmetros do contista e ensaísta Julio Cortázar: a unidade de efeito ou impressão, que age como "um tremor de água dentro de um cristal, uma fugacidade numa permanência"; o trabalho com o limite físico de páginas, a favor da expansão de sentidos, levando "a inteligência e a sensibilidade em direção a algo que vai muito além do argumento"; e também um componente que supera o valor instrumental das técnicas narrativas – a capacidade de condensar "uma certa condição humana" e apreender "uma ordem social ou histórica".

O conjunto de contos foi escrito em grande parte na década que sucede o final da Segunda Guerra, de aparente serenidade. No Ocidente difunde-se o estilo de vida e o modelo econômico decalcados do *american way of life*, que Clarice conhece de perto em sua estada em Washington (1952-1959), e que acompanha ao retornar ao Brasil, país cuja tradição patriarcal se mostra favorável ao pacote ideológico todo. O cinema e a publicidade disseminam um modelo de esposa vocacionada para os afazeres do lar, cabendo ao marido o lugar de provedor. A condição feminina das camadas médias e dilemas da puberdade serão temas da coletânea.

Em todos os contos, na tensão do indivíduo consigo mesmo e com outros seres e matérias, algo de secreto e pulsante, até então em estado latente ou de germinação, é posto à prova durante uma crise. De súbito, a personagem se vê "no meio do que grita e pulula". Deslocamentos no espaço e no tempo provocam e constituem uma experiência inédita e desconcertante, que ativa sentidos adormecidos ou reprimidos e abala valores cristalizados.

Este estado de descoberta força os limites da realidade e da linguagem e ganha na narrativa o status do que muitos teóricos concebem como epifania, manifestação ou aparição de algo inesperado e transfigurador, como um corte. De origem teológica, o conceito teria sido sugerido de algum modo pela própria escritora já no primeiro romance, ao escolher uma epígrafe de James Joyce: "Ele estava só. Estava abandonado, feliz, perto do selvagem coração da vida." Na leitura secularizada feita pelo escritor irlandês, a epifania evoca uma experiência mística do belo. Um olhar lúcido atinge uma clareza inesperada e aguda em relação às coisas do mundo.

Em Clarice, a epifania ganharia outros matizes. O acontecimento marcaria um momento de revelação silenciosa e fugaz. Ou uma sensação de "esplêndida unicidade" (a expressão é de Antonio Candido), conquistada através da "lucidez de quem não adivinha mais: sem esforço, sabe. Apenas isto: sabe". Sem foros de santidade e profundamente vital, tudo o que existe se igualaria, provocando uma emoção inquietante e transitória. De um modo ou de outro, remeteria, em *Laços de família*, a questões existenciais que brotam de forma inesperada no cotidiano das camadas sociais medianas, e dizem respeito especialmente à condição feminina e à puberdade.

Seria o caso da dona de casa que "apaziguara tão bem a vida". Acostumada com o gotejar contínuo da água na torneira que ela opera no tanque e com o barulho dos filhos na casa, Ana evita se ferir com o inesperado. Como se quisesse embaçar a própria vista, desvia os olhos da cortina, que ela mesma cortara e que balança com vento, chamando a atenção para outras possibilidades de vida. Entretanto, na rua, perturbada pela visão de um cego mascando chicletes, entra em estado de choque e se perde no Jardim Botânico. Ali se conecta com a força, pulsação e voracidade da natureza em sua falta de pudor diante do ciclo morte e vida. E a ela virtualmente se equipara. Ana não pode evitar, de volta a casa, o ruído do fogão que explode suas aspirações artísticas juvenis e a recoloca na função de mãe, esposa e administradora do lar. Finalmente no quarto, a mulher, então "sem nenhum mundo no coração", elege o espelho como testemunha e diante dele sopra "a pequena flama do dia".

Ela nunca mais irá reaver a pessoa que era antes, embora, de algum jeito, continue a mesma mãe, esposa e dona de casa.

Também a jovem portuguesa, do divertido conto "Devaneio e embriaguez duma rapariga", conquista uma alforria temporária no dia em que fica só em casa, sem marido e sem filhos, em um sobrado de classe média remediada, no centro da cidade. Conecta-se pela janela com a rua que se agita lá fora, deixa os afazeres de lado, refuta a abordagem do marido que vem em casa almoçar, respeita o próprio corpo, dá vazão ao desejo de estar só consigo mesma e à noite, regada a muita bebida se excede na tasca, até afinal, na hora de dormir, encontrar a cumplicidade com a lua: feminina, ostensivamente potente e prazerosamente volúvel. No dia seguinte, tudo retornará à "regularidade". A autocomplacência e a leveza da rapariga contrastam com o fardo de Ana, mas ambas participam do esquema familiar de dependência do marido e de jugo aos afazeres domésticos.

Estas rápidas indicações de cena assinalam os efeitos perturbadores da quebra da regularidade do tempo e das ações. Clarice Lispector cria um desconcerto poético quando, num único movimento, observa a engrenagem das relações familiares, principalmente na seara urbana carioca; preserva a singularidade de cada situação específica; e dá à linguagem um tratamento apurado, como se fizesse um cerco gradativo da experiência inédita e desconcertante, para a qual as palavras do dia a dia não dão conta.

Para uma obra que acumula fortuna crítica extensa e de excelência, notadamente com o aporte da psicologia e da filosofia, escolho uma via dupla de aproximação dos contos. Destaco, de um lado, o caráter social das emoções, a dimensão comunicativa da cultura material e as negociações de poder que permeiam as redes de afeto; de outro, as operações da linguagem, que se movimenta por aproximações.

Muitos fatores, inclusive dados biográficos, incentivam a abordagem aqui proposta. A experiência etnográfica resulta do permanente esforço em compreender e lidar com o outro, sem julgamento a priori; ao mesmo tempo, quando o objeto de estudo é muito próximo do pesquisador, cabe a ele se distanciar, de modo a perceber os mecanismos tornados invisíveis graças ao hábito, que cansa a vista e acomoda o corpo para a passividade e inércia. Roberto DaMatta sintetiza esta dinâmica: transformar o exótico em familiar e o familiar em exótico. De forma similar ao jogo ficcional, o antropólogo opera o encontro e confronto com a diferença, em sua relação com outros grupos, povos e culturas.

A escritora, que ainda jovem se matricula em curso sobre cultura brasileira na Casa do Estudante, vivencia um intenso processo de conhecimento e interação com culturas diferentes. O histórico familiar de imigração, as mudanças contínuas de cidade e bairro durante a infância e adolescência, mais o casamento com um diplomata em contínuo deslocamento fazem com que metade da vida da escritora tenha sido de itinerância. Ela escreve a maior parte das narrativas de *Laços de família* no exterior. Foram quinze anos longe das irmãs e dos amigos, com quem manteve contato através de correspondência e visitas eventuais. Numa carta, comenta o desconforto de se sentir uma estranha no ninho: "A Europa é o mundo, é da Europa que ainda saem as melhores coisas. Eu não conheço ninguém e me sinto esmagada por essa entidade abstrata que não consegui concretizar em nenhum amigo."

Viver em cidades que não resultam de escolha e que, muitas vezes, desagradam-na profundamente, pede um permanente exercício de comunicação em outras línguas e o esforço contínuo de decifração de códigos locais. Ademais, o ambiente diplomático em que circula, enquanto esposa de funcionário do governo em missão, lhe exige obediência a protocolos sociais calcados na formalidade.

Por outro lado, as paisagens que Clarice vai buscar para estas narrativas são colhidas da memória afetiva de lugares que frequentou ou onde morou. As histórias acontecem no Rio de Janeiro, cidade onde passou parte significativa de sua vida. Percorremos os bairros de São Cristóvão, Centro, Jardim Botânico e Tijuca, com respingos de Ipanema e Olaria. Outro componente, também com nota biográfica, estará no fato de ela própria ter constituído família, com casamento, nascimento de filhos e administração diária da casa.

De certa maneira, creio que as condições de vida que a cercam na infância e na fase inicial da carreira ativam um esforço de percepção sinalizado pela jovem escritora desde os textos de adolescência publicados *post mortem*. Na essência, o dilema pode ser posto como um projeto contínuo de metamorfose:

> Eu antes tinha querido ser os outros para conhecer o que não era eu. Entendi então que eu já tinha sido os outros e isso era fácil. Minha experiência maior seria ser o outro dos outros: e o outro dos outros era eu.

As personagens eventualmente vivenciam de forma passageira esse "ser outro".

O estágio fronteiriço torna-se um tema nuclear na obra de Clarice Lispector e a marca da experiência de transmutação será indelével. Entre não se conhecer plenamente e não ter acesso pleno ao outro, percebe-se aqui e ali a aposta que, pelo avesso do avesso, algo pode ser comunicado e irmanado. A mulher do casaco marrom que visita o zoológico, para ali destilar sua amargura e testar sua comutação em outros animais: "experimentou o camelo" em trapos, corcunda, "a aérea girafa pousada", os olhos do velho macaco.

Ritos, modelos familiares, natureza e cultura, real e imaginário, que constituem o solo deste livro, são temas clássicos da antropologia. Em sintonia e em diferença com o olhar etnográfico, a escritora desenvolve em sua ficção uma espécie de arqueologia das relações humanas, sem cair na armadilha dos tipos, da dualidade e das generalizações, nem do realismo social. Ela busca, sempre, a singularidade de cada situação e constrói um universo único para Ana, Laura, Catarina e outras tantas personagens densas que enfrentam seus fantasmas mais íntimos e amedrontadores e sentimentos extremos.

A ativação de sentidos de objetos aparentemente mortos e mudos que participam de rituais cotidianos e que, em seu silêncio, concentram um enorme poder de fala, revela a potência discursiva da cultura material. Seguindo o método indiciário, um roteiro possível para coser as histórias de *Laços de família* seria uma lista com: penteadeira, espelho, vaso, sapatos, pá, mala, relógio, óculos, máscara, pires, chapéu, grade, bolo e faca. Cada um destes elementos historia percursos de vida, fixa decisões, marca diferenciações de gênero e de personalidade, media modos de relacionamento e serve como forma de expressão de si. A jovem senhora se agarra à golinha de tricô que a ajuda a compor a performance diária de recato, assim como se apega ao copo de leite para regular a respiração e aderir a um comportamento nos padrões de normalidade que se espera dela, diante da tentação da loucura. Do mesmo modo, a avó nonagenária é aparamentada para o dia de seu aniversário, como uma cadeira ou boneca que decora a sala. Seus olhos quietos fotografam a fala de vigor e de paixão de seus descendentes, os presentes inúteis e sem graça, os herdeiros fracos e as noras que desfilam roupas na guerra entre a Zona Norte e a Zona Sul.

A vida e os afetos se inscrevem em objetos e estes, por sua vez, tanto constroem memórias e sonhos, quanto delatam rivalidades, o peso da mesmice e o cotidiano anódino. No momento de crise, um adereço, um enfeite ou um elemento decorativo que algum dia funcionou como suporte e ancoragem pode se tornar subitamente obstáculo ou condensar um estado de espírito. É o caso da personagem Laura, que submerge ao delírio ao contemplar o vaso de rosas que a contempla. No oco do recipiente, o vazio faz presença, como a ponta de surpresa que esconde no fundo de seus olhos: "Alguém veria nesse mínimo ponto ofendido a falta dos filhos que ela nunca tivera?"

As tramas tiram proveito também do projeto arquitetônico e urbanístico, tópico que constituirá um legado importante da escritora para as relações entre a literatura e a cidade. A distribuição e o arranjo dos cômodos na casa delimitam e fixam simbolicamente o modelo nuclear da família. Os corpos separados em quartos diferentes para procriação e para pesadelos se reúnem com hora marcada ao redor da mesa da sala, onde conferem o cardápio, espantam moscas, tomam decisões e negociam.

O sonho ou a saída de casa são a travessia possível. Muitas vezes se tem à mão apenas o Jardim Botânico ou o Jardim Zoológico, miniaturas da floresta e da selva. Mas é o que basta para abalar o calço de toda uma vida ou vivenciar de forma extrema sentimentos impuros e indesejados. Edificações e compartimentos da casa são potencialmente tensos. Paredes e muros de tijolo escondem e alertam as paredes imaginárias e simbólicas instituídas como forma ambígua de poder e proteção. Assim, a jovem não está ainda preparada para caminhar em hora incerta durante a madrugada quando é encurralada pela violência de dois rapazes. A briga simbólica com os pais não tarda e ela conquista sapatos novos.

Tudo se organiza na tentativa de manter os alicerces e regular o funcionamento da entidade pequeno-burguesa, com base em controle, padrões de normalidade e hierarquia entre masculino e feminino. No quarto haverá uma mobília ou peça limítrofe, como a penteadeira e o espelho do armário que apazigua, desafia ou confirma o ser dilacerado. A caminho da estação do trem, a mala se precipitará sobre a mãe e a filha até então distantes, forçando o abraço inesperado: "Ah! ah! – exclamou a mãe como a um desastre irremediável, ah! dizia balançando a cabeça em surpresa, de repente envelhecida e pobre." Na plataforma, o chapéu da senhora idosa indicará menos proteção e elegância do que escudo para sobrevivência através de uma imagem montada: "O rosto usado e ainda bem esperto parecia esforçar-se por dar aos outros alguma impressão, da qual o chapéu faria parte." Não importa de que matéria são feitos. É a espessura afetiva dos objetos que conta e, através dela, o indivíduo cria sua epifania particular.

Ritos de passagem, outro tópico dos estudos antropológicos, servem de argamassa para três contos sobre jovens em situação liminar. "Mistério em São Cristóvão" atualiza o ciclo da vida aproximando a avó, "velha conhecedora de canteiros", e a neta que entra na puberdade; "Preciosidade" fere e espanta o leitor ao apresentar, com a sutileza de um estilete, o amadurecimento e o desejo de florescer da jovem intocada em sua "vastidão quase majestosa"; e "Começos de uma fortuna" segue de um modo divertido o tormento de um rapaz em sua primeira conquista amorosa.

A observação antropológica, com afinidades com o processo ficcional, propõe uma delicada combinação entre objetividade e subjetividade. Mas olhar e procurar entender e aceitar o desconhecido em seu sistema próprio de crenças e hábitos nem sempre foi a regra. Em "A menor mulher do mundo" o narrador expõe com sarcasmo a violência colonialista e eurocêntrica, incapaz de aceitar e compreender o diferente.

Inspirado numa notícia de jornal, o conto se inspira no aventureiro suíço Marcel-G. Prêtre, que, de fato, participou de expedições à África, continente que sempre atraiu a atenção da escritora. O pendor classificatório do explorador e suas reações de estranhamento diante da pigmeia "de quarenta e cinco centímetros, madura, negra, calada", pura potência vital em sua gravidez, erotismo e liberdade, precipita a ironia do narrador.

> Estava rindo, quente, quente. Pequena Flor estava gozando a vida. A própria coisa rara estava tendo a inefável sensação de ainda não ter sido comida. (...) Era um riso como somente quem não fala, ri. Esse riso o explorador constrangido não conseguiu classificar. E ela continuou fruindo o próprio riso macio, ela que não estava sendo devorada. Não ser devorado é o sentimento mais perfeito. Não ser devorado é o objetivo secreto de toda uma vida. Enquanto não estava sendo comida, seu riso bestial era tão delicado como é delicada a alegria. O explorador estava atrapalhado.

A denúncia de estigma e preconceito se propaga ao capturar em flashes as reações incrédulas e preconceituosas dos leitores dominicais da classe média urbana brasileira diante da notícia. Clarice Lispector está à frente de seu tempo ao questionar a máquina antropocêntrica e apontar na cosmologia de uma sociedade não ocidental, assim como no reino animal, uma fonte de saberes e aprendizados.

A falta de conexão entre natureza e cultura, tema que animou debates no campo das ciências sociais nas décadas de 1950 e 1960, é uma das linhas de força do livro. As famílias aqui reunidas exprimem em miniatura a contenda entre a vida livre, desorganizada e pulsante e a lógica reguladora que constrange as escolhas a pequenas ambições e mornas emoções. A batalha pela sobrevivência e o ato heroico se apresentam degradados, em forma de pastiche, no conto "Uma galinha". A cena doméstica e a desproporção entre os recursos do pai, caçador improvisado, e os da frágil galinha de domingo, grávida e em fuga do quintal, torna todo esforço dele ridículo, e mal resiste ao desenlace melancólico e irônico. De novo em questão a conexão e as interações entre os humanos e outras formas de manifestação da natureza, à revelia da racionalidade que hierarquiza e discrimina.

Estas são algumas das muitas possibilidades de arranjo entre os contos, que se comunicam por diferentes vias. Uma delas são as travessias existenciais que independem de um acontecimento, propriamente. Em "O búfalo" e "O jantar", emoções tidas por pouco nobres, como o ódio e a gula, se explicitam em estado bruto e sem pudor. Quaisquer que sejam.

Não há a mais remota possibilidade de se confiar na transparência da palavra ou na lógica e racionalidade, numa literatura que se equilibra entre o que é, e o que está por vir. A investigação de linguagem é fundamental para traduzir os interstícios das afeições e o movimento do indivíduo em direção ao outro e a si mesmo e para trilhar o caminho que leva tanto ao desconhecido que nos habita, quanto ao conhecido que há no desconhecido. A se iludir confiando numa língua que se basta e se quer autossuficiente, é preferível a prudência corajosa do tatear, a hesitação em forma de busca, o esforço pela expressão incorpora o poético. Dentre os diferentes recursos acionados, há a reverberação pela repetição da palavra e seu som. Para registrar, por exemplo, uma sonoridade que não esmorecia, dirá: "A calçada era oca ou os sapatos eram ocos ou ela própria era oca. No oco dos sapatos deles ouvia atenta o medo dos dois." Para iluminar o peso do esvaziamento afetivo e trazer a ideia de acúmulo, o narrador adere a um repetido "então".

Para tentar maior exatidão em sentimentos complexos usará adjetivação dupla ou tríplice. Mas sempre, como dirá ironicamente o narrador de *A hora da estrela*, evitando "a tentação de usar termos suculentos": "Adjetivos esplendorosos, carnudos substantivos e verbos tão esguios que atravessam agudos o ar em vias de ação, já que palavra é ação!" Através de imagens e mudanças no compasso do texto, a escritora coloca o leitor numa zona de fascínio e inquietação próxima à das personagens. Seu projeto escritural apreende que existe algo fora de foco e que, para transmiti-lo, é necessário exercitar a exatidão desconcertante que se encontra no terreno da poesia.

Esta elasticidade é tangencial à operação da epifania, Vejamos. O conceito, que recebeu adesão entusiasta dos críticos da obra de Clarice Lispector, ao tratarem do descortino de camadas menos visíveis do viver, foi descrito por Joyce como "experiências de um olho espiritual tentando ajustar a sua visão a um foco exato". Ora, no plano da expressão, só se apreende com rigor essa conexão fugaz através do ritmo e da metaforização. Algo que exceda ou que fique aquém do foco, para que a experiência se repita no leitor. Se cada conto fabrica o próprio tom, variando da leveza à dureza, em todos eles se mantém o procedimento de escavação. Tudo fica em permanente estado de alerta. Não há realidade evidente por si mesma, é necessário acercar-se por aproximação e de vez em quando lançar breves iluminações com forte capacidade de condensação.

Vinte anos depois da publicação de *Laços de família* é lançado *Água viva*, em que a nomeação e a irmandade entre os seres se convertem em tema central e são trabalhadas textualmente de forma radical. Mas a questão da dobra da linguagem já estava posta desde sempre. Em se tratando de contos, as operações de concisão e expansão evidenciam uma atitude próxima da captura fotográfica. De fato, os textos que acabam de ser lidos evocam os versos do poeta Carlos Drummond de Andrade sobre o ato fotográfico. Para captar os subterrâneos da pessoa, do lugar e do objeto expostos a olho nu, "é preciso que a lente mágica/enriqueça a visão humana/e do real de cada coisa/um mais seco real extraia/para que penetremos fundo/no puro enigma das figuras". Só então, os laços se saberão armadilha, rede, enlace, compromisso, fracasso ou esperança. Confortável e estranhamente familiares.

— CLARISSE FUKELMAN

Este livro, publicado em
nova edição no quadro das
comemorações do centenário
de nascimento de Clarice
Lispector, foi impresso
com as fontes Didot
e Akzidenz Grotesk.